D1556779

RÉCITS IDENTITAIRES

Le Québec à l'épreuve du pluralisme

RÉCITS IDENTITAIRES

Le Québec à l'épreuve du pluralisme

JOCELYN MACLURE

Programme
d'études sur le
Québec
de l'Université
McGill

ÉDITIONS QUÉBEC AMÉRIQUE

329, RUE DE LA COMMUNE OUEST, 3E ÉTAGE, MONTRÉAL (QUÉBEC) H2Y 2E1 (514) 499-3000

Données de catalogage avant publication (Canada)

Maclure, Jocelyn, 1973-
  Le Québec à l'épreuve du pluralisme
  (Débats ; 6)
  Comprend un index.
  ISBN 2-7644-0068-3

  1. Pluralisme – Québec (Province) 2. Canadiens français – Québec (Province) –
Identité ethnique. 3. Nationalisme – Québec (Province). 4. Multiculturalisme –
Québec (Province). I. Titre. II. Collection : Débats (Éditions Québec Amérique) ; 6.

FC2950.A1M32 2000   306.44'6'09714   C00-941316-2
F1055.A1M32 2000

  Les Éditions Québec Amérique bénéficient du programme de subvention globale
  du Conseil des Arts du Canada. Elles tiennent également à remercier la SODEC
                      pour son appui financier.

Nous reconnaissons l'aide financière du gouvernement du Canada par l'entremise
du Programme d'aide au développement de l'industrie de l'édition (PADIÉ)
                  pour nos activités d'édition.

Cet ouvrage a été préparé et publié grâce à l'appui du Fonds Desjardins du
Programme d'études sur le Québec de l'Université McGill.

Dépôt légal : 3ᵉ trimestre 2000
Bibliothèque nationale du Québec
Bibliothèque nationale du Canada

Révision linguistique : Claude Frappier et Diane Martin
Mise en pages : PAGEXPRESS

La collection «Débats» est le fruit de la collaboration entre les Éditions Québec Amérique et le Programme d'études sur le Québec de l'Université McGill. Dirigée par Alain-G. Gagnon, professeur titulaire au département de science politique et directeur du PÉQ, la collection compte déjà quatre titres :

Duplessis : Entre la Grande Noirceur et la société libérale, sous la direction d'Alain-G. Gagnon et de Michel Sarra-Bournet, 1997.

Québec : le 18 septembre 2001, Claude Bariteau, 1998.
Prix Richard-Arès, 1998.

L'Ingratitude, Conversation sur notre temps, Alain Finkielkraut, avec Antoine Robitaille, 1999.

Le Québec dans l'espace américain, Louis Balthazar et Alfred O. Hero Jr.

Penser la nation québécoise, sous la direction de Stéphane Venne, 2000.

Récits identitaires : le Québec à l'épreuve du pluralisme, Jocelyn Maclure, 2000.

Les principaux objectifs de cette collection sont d'ouvrir de nouvelles pistes de réflexion dans le domaine des sciences sociales et de permettre aux chercheurs d'engager le débat sur des sujets contemporains.

Délibération et réflexion sont les maîtres mots.

À mes parents, Céline et Luc

TABLE DES MATIÈRES

REMERCIEMENTS

À première vue, l'écriture et le travail de la pensée semblent incarner la quintessence même de la solitude, de l'introspection, du monologue avec soi-même. Rien de plus faux. L'écriture est en fait une activité dialogique de part en part. L'apport de plusieurs personnes mérite donc d'être souligné ici. Mes parents, Luc Maclure et Céline Miron, me viennent d'abord à l'esprit. Leur chaleureux soutien ne s'est jamais démenti. C'est donc avec un grand bonheur que je leur dédie ce premier livre. En plus de ses commentaires et suggestions, Isabelle Dumont m'a offert tous les encouragements et l'aide nécessaires à la concrétisation d'un tel projet. Sa générosité fut pour moi une source d'inspiration constante. Si un peu de cette générosité transparaît dans les pages qui suivent, l'entreprise n'aura pas été veine.

L'apport de Guy Laforest et de James Tully ne saurait être suffisamment souligné. Dès mes études de premier cycle à l'Université Laval, Guy Laforest m'a offert tout le soutien et l'encadrement indispensables à la réussite universitaire. De plus, ses commentaires rigoureux ont grandement amélioré la qualité de mon manuscrit. Il m'est impossible d'expliquer ici l'importance, intellectuelle et personnelle, de ma rencontre avec James Tully. Il y a de ces événements qui changent les itinéraires déjà en cours et qui élargissent le champ des possibles. Cette rencontre avec mon ancien superviseur est l'un d'eux. Cet essai a aussi grandement bénéficié de la lecture sérieuse et attentive de Jocelyn Létourneau et d'Alain-G. Gagnon. Je les en remercie.

L'enthousiasme et les commentaires de Marie-Josée Deblois m'ont été d'un grand secours. Les discussions que j'ai eues avec mes amis Eddy Vo-Quang, Dimitri Karmis, Nigel Desouza et David Owen me furent également fort profitables. Je tiens à remercier Stéphan Gervais et Alain-G. Gagnon, du Programme d'études sur le Québec de l'Université McGill, qui m'ont incité à faire du Québec l'un de mes thèmes de réflexion et qui m'ont procuré toutes les occasions de le faire. Je leur en suis très reconnaissant. Je veux aussi remercier Charles Taylor. Il ne peut y avoir de plus grand honneur, pour un jeune Québécois étudiant la philosophie politique, que de voir son premier essai préfacé par M. Taylor. Enfin, je ne peux passer sous le silence l'excellent travail accomplit par l'équipe de Québec Amérique, avec qui il fut un plaisir de collaborer.

Finalement, un petit clin d'œil à Dave, Sandy, Damélie et Edward (mon filleul dont la naissance précéda de quelques mois la sortie de ce livre), à Sébastien et Henri (et leur famille respective) et à tous les autres dont je ne peux malheureusement souligner la contribution ici, mais qui sont bien conscients de leur valeur et de leur importance à mes yeux. Il y a un peu de vous tous dans les lignes qui suivent.

J.M.

PRÉFACE

Ce court traité constitue une contribution très importante à notre débat identitaire au Québec. *Récits identitaires* formule de façon claire et convaincante un changement de cap de prime abord inchoatif qui se prépare depuis plusieurs années dans notre société. Nombreux sont les Québécois de tous les âges, mais surtout parmi les générations montantes, qui se sentaient de plus en plus mal à l'aise devant le débat polarisé et rigide entre souverainistes et fédéralistes. Malgré la comptabilité de part et d'autre des avantages et inconvénients économiques des deux hypothèses, tout le monde comprenait qu'il s'agissait d'un débat foncièrement identitaire.

D'un côté, on prétendait que les Québécois ne sauraient résoudre une ambiguïté paralysante et retrouver leur vraie identité qu'en fondant un nouveau pays indépendant ; de l'autre, on ripostait souvent en inculpant la nation elle-même comme pôle d'identité, source d'étroitesse et d'exclusion. Mais ce que les deux thèses en présence semblaient partager, c'était la prémisse que l'identité doit être quelque chose de clair, unifié, stable, et décidé une fois pour toutes.

Pourtant il devenait de plus en plus patent que beaucoup de gens, surtout des jeunes, surtout parmi ceux qui avaient voyagé, ne pouvaient pas se reconnaître dans ce paradigme. Ils n'étaient que trop conscients qu'ils vivaient des identités plurielles, souvent en conflit, lieux de débat et d'évolution sans fin. Ils ne pouvaient se situer ni dans une québécité univoque et fixe, ni dans un refus de principe de la nation comme ressource identitaire. Le moment devait arriver où cette perspective prendrait la place qui lui revient dans notre débat. C'est déjà chose faite.

Ce qui nous manquait encore, c'était une formulation théorique soutenue de cette nouvelle façon de voir. C'est ce que Jocelyn Maclure nous a livré, et de façon claire et convaincante. Mais ce n'est pas tout. Dans ce domaine le ton, la posture profonde de l'écrivain importe autant que le contenu. Il y a une façon méprisante et polémique de débattre de questions identitaires, où on essaie de discréditer les définitions de ses adversaires, de les dépeindre comme mesquines et insoutenables. Certains souverainistes présentent la double allégeance Québec-Canada comme le fruit d'un manque de maturité, voire de la lâcheté ; de leur côté des fédéralistes à la Trudeau ont fini souvent par démoniser le nationalisme comme tel.

Mais justement parce que les définitions identitaires proviennent d'une herméneutique de notre expérience profonde, elles méritent un certain respect, même quand on les croit erronées. Qui plus est, non seulement le ton polémique est arrogant, il rend également impossible un véritable échange d'interprétations et provoque des réactions de refus et de cabrage.

Ce qui est remarquable chez Jocelyn Maclure, c'est le ton de respect et de compréhension qu'il adopte en discutant des positions qu'il veut pourtant critiquer. Cela fait de son livre non seulement la reformulation d'un cadre théorique propice à la poursuite d'un nouvel échange identitaire, mais aussi une première intervention dans cet échange, pleinement dans l'esprit qui devrait l'animer.

On peut être d'accord ou pas avec les portraits détaillés que brosse Maclure du « nationalisme mélancolique » ou de l'« internationalisme cosmopolite », mais on reconnaît immédiatement qu'il s'agit d'une nouvelle manière d'aborder notre incontournable débat nationalo-existentiel. Il faut toute la sensibilité et la nuance que montre ce jeune auteur, il faut sa puissance d'écoute de l'expérience humaine qui se profile derrière les formulations les plus polémiques, il faut sa générosité envers ses multiples partenaires de discussion, et il faut son sens aigu de la multiplicité et de la plurivocité de cette réalité complexe et mobile qu'est le Québec d'aujourd'hui, pour mener à bien cette entreprise nécessaire. Cette étude, si riche sur les plans herméneutique et théorique, nous ouvre de nouvelles avenues de recherche et de discussion, potentiellement fécondes. C'est une contribution de grande valeur à notre reconstitution nationale.

Charles Taylor

INTRODUCTION

Nous sommes incapables de cerner la nature
d'une nation en écartant l'incessant travail par
lequel les hommes eux-mêmes interprètent son
existence.

Fernand Dumont

Le thème de l'identité, au Québec comme ailleurs, fait couler beaucoup d'encre. Une myriade d'écrivains et de théoriciens en ont fait leur muse de prédilection. Les disciplines universitaires et les approches théoriques s'entrelacent et se chevauchent afin d'esquisser un plan, des points de repère qui nous permettraient de nous retrouver dans les dédales de l'identité contemporaine. C'est ainsi que la philosophie, la science politique, la sociologie, la psychologie, l'histoire, l'anthropologie, la géographie, les études littéraires, les *cultural studies* ainsi que les approches herméneutique, phénoménologique, néo-kantienne, marxiste, féministe, postcolonialiste, poststructuraliste, etc., se fertilisent et se réfutent mutuellement dans cette vaste entreprise d'exploration conceptuelle. Je tenterai d'expliquer plus loin dans cette introduction d'où vient cet engouement pour les questions identitaires.

19

Le Québec n'échappe pas à la règle. Bien au contraire, la société québécoise, composée d'une majorité nationale francophone, d'une minorité nationale anglophone, de onze nations autochtones et d'une multiplicité de Québécoises et de Québécois venus d'ailleurs est à la fois multinationale, *multiculturelle et métissée*[1]. Les politiques dites de l'identité et de la reconnaissance, qui se trouvent aujourd'hui au cœur de cette vaste entreprise de conceptualisation des identités, sont depuis fort longtemps inscrites dans la dynamique même de la société canadienne française et, subséquemment, de la société québécoise.

Bien qu'il soit toujours difficile et hasardeux pour l'observateur de tenter de capter l'actualité, l'originalité de son époque, il n'est sans doute pas trop téméraire d'affirmer que le Québec est présentement traversé par un questionnement d'une rare intensité au sujet de sa propre identité. Le Québec vit un *processus interne d'auto-interprétation*. Bien que l'on ne puisse présumer avec certitude des configurations qui se dégageront de cette entreprise de *renarration*, on sait d'ores et déjà que de nouveaux tropes identitaires viendront rejoindre – et, ce faisant, bouscu-

---

1. La fascination de la philosophie politique pour le *multiculturalisme* fait souvent en sorte que le caractère hybride ou métissé des sociétés contemporaines se trouve négligé. Si le multiculturalisme est un concept essentiel pour comprendre la coexistence pacifique de différents groupes culturels relativement étanches les uns aux autres (les rapports entre la communauté juive hassidique de Montréal et ses voisins par exemple), il risque d'éluder toute la mixité, le chevauchement, l'interpénétration et le croisement entre les appartenances culturelles. Comme l'avance Sherry Simon, « le multiculturalisme conçoit les cultures comme des totalités autonomes. Chaque "nous" du multiculturalisme désigne un groupe facilement identifiable et séparable, défini par ses croyances, ses coutumes, ses habitudes. » (Sherry Simon, *Hybridité culturelle*, Montréal, L'île de la tortue, 1999, p. 19.)

leront – les représentations dominantes de la québécité. Cette fascination pour les questions identitaires n'est pas une lubie d'universitaires. Elle est une préoccupation qui traverse les barrières de classe, de sexe et de génération et qui rejoint des citoyens qui doivent vivre avec l'indétermination identitaire contemporaine[2]. D'où la prolifération d'articles, de livres et de colloques sur des enjeux distincts mais intimement reliés comme l'identité, la nationalité, la culture, la langue, la citoyenneté, le genre, etc. Pour bien des observateurs, l'intensité de ce questionnement au Québec connote un sentiment d'insécurité chronique et résulte de l'incapacité atavique des Québécois à se prendre définitivement en main. Selon eux, l'angoisse d'être serait le prix à payer pour jouir du confort de l'ambivalence.

Or l'effervescence actuelle au Québec au sujet des questions identitaires s'explique mieux, à mon sens, par des facteurs exogènes (macro) et endogènes (micro) à la société québécoise. D'un côté, ce vaste processus interne d'auto-interprétation trouve son impulsion dans une dynamique mondiale marquée par la globalisation des marchés et des moyens de communication, c'est-à-dire par une compression inégalée du temps et de l'espace.

---

2. À la suite d'une série de réflexions sur la nation québécoise, organisée conjointement par le journal *Le Devoir* et le Programme d'études sur le Québec de l'Université McGill, l'éditorialiste Michel Venne concluait que «la nation est un sujet qui suscite encore, malgré toutes les balivernes qui s'écrivent sur la fatigue constitutionnelle, un intérêt immense. Il existe chez nous un goût et un besoin de débattre de l'avenir collectif des Québécois plus grand que le ronron médiatique laisse croire. Dès que l'on s'éloigne des querelles de politiciens pour discuter du fond des choses, l'intérêt resurgit.» (Michel Venne, «La nation québécoise», *Le Devoir*, 18-19 septembre 1999, p. A 10. Les textes ont été regroupés dans Michel Venne (dir.), *Penser la nation québécoise*, Montréal, Québec Amérique, 2000.)

Qu'advient-il des nations minoritaires, comme le Québec, lorsque l'État keynésien peut de moins en moins réguler une économie naguère dite nationale et lorsque le rouleau compresseur des médias de masse ignore et transgresse les frontières culturelles des nations? Comment circonscrire l'*authenticité* d'une nation lorsque les mouvements migratoires internationaux font de la polyethnicité et de l'hybridité la norme plutôt que l'exception et que les réseaux d'appartenance et d'identification des «nationaux» se régionalisent, s'internationalisent, se virtualisent et, par le fait même, se multiplient? Dans la même veine, de quelle façon le pluralisme identitaire et mémoriel des écrivains contemporains nous force-t-il à redéfinir le concept de «littérature nationale»? En effet, les écrivains québécois contemporains, nullement différents des autres citoyens à cet égard, plutôt que de communier à l'autel de l'authenticité nationale ou du cosmopolitisme désincarné, façonnent et refaçonnent les spécificités culturelles du Québec en puisant à même leurs mémoires éclectiques (locales, nationales, transnationales), c'est-à-dire à même leurs lieux et non-lieux identitaires. Tous ces phénomènes, que j'analyserai plus longuement au chapitre 4, font en sorte que l'*ego* et l'*alter*, que le même et l'autre, sont plus difficilement distinguables et résolument indissociables.

Par ailleurs, le Québec vit un processus *interne* d'auto-interprétation en raison de son statut problématique au sein de l'entité fédérale canadienne. Rien ne laisse présager, du moins à court et moyen termes, la mise en place d'une réelle éthique du dialogue entre Québec et Ottawa. Quelque 20 années ont passé depuis les promesses de renouvellement constitutionnel brandies par Pierre Elliott Trudeau en pleine campagne référendaire, au moment où les forces du Non vacillaient et s'acheminaient peut-être vers une surprenante défaite. Or, on le sait, de ces garanties de changements constitutionnels émanèrent le rapatriement unilatéral de la Constitution, l'altération des pouvoirs de l'Assemblée nationale et l'instauration d'une charte pancanadienne des droits et libertés. Pour le dire autrement, et là-dessus des universitaires québécois et anglo-canadiens s'entendent, derrière les événements de 1981-1982 s'est profilée une *canadianisation* de la fédération, c'est-à-dire une tentative délibérée de substituer à l'identification au Québec des Québécois une allégeance prioritaire au Canada[3]. Pourtant, pour une vaste majorité d'entre eux, cette appartenance au Canada, bien qu'elle fût devancée par une identification primordiale au Québec, ne s'est jamais démentie. Il n'y a qu'une minorité de souverainistes pour croire que cette allégeance québécoise au Canada n'est qu'accessoire et passagère. En fait, le « rêve canadien » des Québécois, pour reprendre l'expression de Guy Laforest, était précisément de vivre dans un Canada binational où la déclinaison de leur identité québécoise n'aurait pas été perçue comme un vice ou une hérésie[4]. Sans être complètement anéanti, l'espoir de voir un jour ce « rêve » réalisé fut solidement ébranlé par les événements de

---

3. Au sujet des effets de l'instauration de la Charte, on peut se référer à l'interprétation d'Alan Cairns, professeur de science politique de l'Université de Colombie-Britannique : « La Charte ne joue pas avec des aspects superficiels de notre existence. Dans la longue durée, son application va rejoindre notre être intérieur et, ce faisant, manipuler notre psyché et transformer l'image que nous avons de nous-mêmes. » (Alan C. Cairns, *Disruptions : Constitutional Struggles, from the Charter to Meech Lake*, Toronto, D. E. Williams ed., 1991, p. 62 (c'est moi qui traduis).)

4. Guy Laforest, *Trudeau et la fin d'un rêve canadien*, Québec, Septentrion, 1992. Sur les différentes visions du fédéralisme défendues par le Québec et le Canada-hors-Québec, voir : Will Kymlicka, « Le fédéralisme multinational au Canada : un partenariat à repenser », *Sortir de l'impasse : les voies de la réconciliation*, Guy Laforest et Roger Gibbins (dir.), IRPP, 1998.

1981-1982. Il est devenu de plus en plus difficile, tant pour les Premières Nations que pour le Québec, de s'attaquer à l'édifice échafaudé par Trudeau et ses héritiers. Depuis 1982, le Québec fait face à une politique de non-reconnaissance quasi systématique alors que les peuples autochtones, même s'ils sont officiellement reconnus, jouissent en pratique d'une autonomie bien marginale[5].

L'épisode du lac Meech, pour ne prendre que celui-ci, est venu nous rappeler la solidité de la construction symbolique édifiée par Trudeau et ses disciples. Meech, on s'en rappellera, était perçu comme un «correctif» à l'adoption de la Loi constitutionnelle de 1982 sans le consentement du Québec. L'échec de Meech fut donc un renforcement de 1982, une puissante démonstration du degré de sédimentation de la vision individualiste et uninationale du pays dans l'univers symbolique anglo-canadien. C'est pourquoi le philosophe Charles Taylor déclara, devant la Commission Bélanger-Campeau, que

> nous devons voir le Québec, au moins comme point de départ de notre réflexion, comme une société libre de tout engagement antérieur, qui s'apprête à se donner des structures qui lui conviennent, et qui songerait en conséquence à proposer à un ou des partenaires possibles des nouveaux arrangements qui seraient dans l'intérêt commun. [...] Le 23 juin 1990, la constitution de 1867 est moralement morte au Québec. Il faut refaire du neuf[6].

---

5. Voir James Tully, «Liberté et dévoilement dans les sociétés multinationales», traduit par Jocelyn Maclure, *Globe. Revue internationale d'études québécoises*, volume 2, numéro 2, novembre 1999, p. 13-36.

6. Charles Taylor, «Les enjeux de la réforme constitutionnelle», dans *Réconcilier les solitudes. Écrits sur le fédéralisme et le nationalisme au Canada*, Guy Laforest (dir.), Sainte-Foy, Les Presses de l'Université Laval, 1992, p. 161-162.

La situation ne s'est guère améliorée depuis 1990. Au contraire, du match nul référendaire de 1995 n'a émané qu'une polarisation accrue des positions. L'acrimonie semble être l'unique valeur commune aux différents protagonistes. Le verdict non équivoque posé par Taylor n'a tragiquement rien perdu de son actualité. Largement déficitaires sur le plan de l'imagination politique, les deux camps n'arrivent toujours pas à élaborer des positions capables de faire avancer le débat et de favoriser, ne serait-ce que modestement, le déblocage de l'impasse constitutionnelle. D'une part, les indépendantistes, trop absorbés par une quête de normalité pour comprendre qu'une vaste majorité de Québécoises et de Québécois désirent en fait que leur gouvernement travaille à faire comprendre à ses partenaires fédératifs le caractère multinational du Canada, semblent fermés à l'idée que le renvoi de la Cour suprême relatif à la sécession du Québec a changé la donne en matière de changements constitutionnels au Canada[7]. Pourtant, en se fondant sur ce renvoi, il y a bel et bien moyen de jeter un regard radicalement différent sur le constitutionnalisme canadien ainsi que sur les relations entre le Québec, le Canada-hors-Québec et les peuples autochtones[8]. D'autre part, les fédéralistes qui, en réalité, portent très mal leur nom, déploient quotidiennement leur incapacité structurelle et imaginaire à reconnaître le Québec et les peuples autochtones dans les termes qu'ils utilisent pour décliner leur identité et, par conséquent,

---

7. Jocelyn Maclure, « Identité et politique : Penser la nation politique à l'ère des identités multiples », *Possibles*, volume 24, numéros 2-3, printemps-été 2000, p. 229-239.
8. Voir James Tully dans « The Unattained Yet Attainable Democracy. Canada and Quebec Face the New Century », *Les Grandes Conférences Desjardins*, Programme d'études sur le Québec de l'Université McGill, 2000.

font grimper continuellement le nombre de personnes qui, par dépit et par résignation, se considèrent comme souverainistes «par défaut[9]». Lassés par l'infécondité des querelles constitutionnelles et par le sectarisme de leurs principaux acteurs, les Québécoises et les Québécois, loin d'avoir congédié toute réflexion sur leur *devenir*, ont entrepris d'articuler leur identité à l'extérieur des confins abrutissants d'un débat stérile et décati. Nos introspections identitaires n'ont pas à être assimilées à l'angoisse ontologique d'un peuple qui refuse d'entrer dans l'Histoire. Le politique n'ayant pas encore fait la preuve qu'il peut relever le défi de l'indétermination identitaire contemporaine, le Québec se rabat sur un processus interne d'auto-interprétation afin de se comprendre dans toute sa complexité[10].

L'identité québécoise, à l'échelle tant mondiale que fédérale, fait problème. Or l'explicitation d'une situation émerge de son statut problématique. Puisque les individus et les peuples cheminent et évoluent sous l'effet d'une certaine *précompréhension* de leur situation, c'est lorsque cette situation ne va plus de soi qu'elle doit être explicitée et articulée[11]. Comme nous le savons, l'identité québécoise, éternelle source de *souci*, n'a jamais vraiment pu se passer de ce regard réflexif et objectivant sur elle-même.

9. Pour un exemple de ce «souverainisme par défaut», voir entre autres Alain-G. Gagnon et François Rocher, «Faire l'histoire au lieu de la subir», *Répliques aux détracteurs de la souveraineté*, A.-G. Gagnon et F. Rocher (dir.), Montréal, VLB éditeur, 1992, p. 27-47.
10. Pour une analyse qui prend en considération à la fois les facteurs endogènes et les facteurs exogènes à la société québécoise, voir Jocelyn Létourneau, *Les années sans guide. Le Canada à l'ère de l'économie migrante*, Montréal, Boréal, 1996.
11. Martin Heidegger, *Être et temps*, traduit par Emmanuel Martineau, Authentica, 1985.

Cette réflexion sur soi a simplement gagné en intensité au cours des dernières années. Et elle n'est pas l'apanage exclusif des «petites nations» prétendument faibles et insécures. Même les grandes puissances, comme la France et les États-Unis, que l'on disait naguère étanches aux questionnements adolescents sur la nature de leur être collectif, ne peuvent plus faire abstraction de la problématisation de leur identité.

*

Pour certains, l'intérêt pluridisciplinaire et planétaire pour la problématique de l'identité n'est que l'effet d'une mode intellectuelle, entretenue sciemment par des auteurs soucieux de prouver leur pertinence dans un monde pragmatique, utilitariste et calculateur. Qui, dans la tourmente de la vie quotidienne et dans l'éternel retour des considérations pratiques, se soucie vraiment de l'interprétation de son identité individuelle et collective? En cette période de modernité avancée où, par exemple, les laissés-pour-compte de la mondialisation prolifèrent, n'y a-t-il pas des enjeux (pratiques et théoriques) plus importants qui mériteraient d'être éclairés par les lumières de nos universitaires?

Pour d'autres, parmi lesquels je me rangerai, le questionnement sur l'identité est en pleine effervescence puisqu'il se veut intrinsèquement lié à une modernité aux incessantes tribulations. La notion même d'identité, comme le suggèrent Zygmunt Bauman et Charles Taylor[12], est une invention moderne. Or cette modernité (qu'elle

---

12. Zygmunt Bauman, «From Pilgrim to Tourist – or a Short History of Identity», *Questions of Cultural Identity*, Stuart Hall (dir.), Londres, Sage, 1996; Charles Taylor, «La politique de la reconnaissance», *Multiculturalisme. Différence et démocratie*, Amy Gutman (dir.), Paris, Aubier, 1994.

soit dépassée, avancée, hypertrophiée ou radicalisée) fluctue, se recompose, prend de nouvelles formes et, *eo ipso*, ébranle les référents identitaires traditionnels. De la nation à l'identité sexuelle, en passant par l'appartenance de classe, l'affiliation politique et les traditions, les codes paradigmatiques de l'identitaire peuvent de moins en moins servir de références exhaustives et architectoniques. Il est devenu virtuellement impossible de saisir la complexité des identités en se rapportant uniquement à l'une des filières identificatrices du sujet (nation, genre, classe, etc.). D'où l'intense questionnement sur l'identité et la nécessité de repenser les représentations que l'individu se fait de lui-même et de sa culture.

Si l'on accepte l'idée que l'être humain n'est pas un atome, une cellule qui précède et fonde la vie en société, mais plutôt un animal social qui actualise son existence dans des réseaux complexes de relations intersubjectives, on ne doit pas se surprendre que les identités collectives fassent l'objet d'interprétations constantes et diverses. L'identité n'est pas une condition objective, naturelle. Au contraire, elle se comprend mieux comme *projet narratif* ou comme «fiction persuasive[13]». La définition d'une identité (individuelle ou collective) ne peut donc être disjointe de sa *narration*, de son articulation dans des récits plus ou moins cohérents. Nation et narration, comme nous le rappellent avec justesse autant l'historien Jocelyn Létourneau que le théoricien postcolonialiste Homi Bhabha, sont inextricablement reliées. C'est pourquoi Fernand Dumont a raison d'affirmer que les représentations de l'identitaire se mêlent aux pratiques sociales

---

13. Mikhaël Elbaz, «Introduction», *Les frontières de l'identité. Modernité et postmodernisme au Québec*, M. Elbaz, A. Fortin et G. Laforest (dir.), Sainte-Foy et Paris, Les Presses de l'Université Laval et l'Harmattan, 1996, p. 8.

dans la configuration des identités collectives et que, par conséquent, on ne peut cerner les contours d'une nation en occultant le travail incessant de ses interprètes[14].

La nation ne peut certes plus être considérée comme un horizon identitaire englobant et capable de structurer les autres fragments de vie du sujet. Mais la nation comme référence identitaire n'a pas été effacée pour autant. Elle a plutôt été « dé-transcendantalisée », c'est-à-dire alignée dans une dynamique horizontale avec les autres sources de l'identité du sujet (sexualité, genre, positionnement génrationnel, spiritualité, identité professionnelle, ethnicité, etc.). Il revient au sujet, et non pas au théoricien, de hiérarchiser et de définir l'importance qu'il accorde à ses différents aspects identitaires. Cela dit, et contre les discours apologétiques à propos du cosmopolitisme, la nation comme horizon identitaire n'a pas été dissoute, mais plutôt désacralisée et reconfigurée[15]. Même si elle doit être

14. Selon Dumont, des valeurs fondamentales comme la vérité et la démocratie nécessitent d'ailleurs le travail interprétatif : « Tout au fond, l'utopie d'un savoir qui rallierait l'unanimité de ses artisans, l'utopie d'une cité qui susciterait la convergence des libertés ne présupposent-elles pas une utopie plus lointaine encore : celle d'une communauté de ceux qui interprètent l'histoire ? » (Fernand Dumont, *Récit d'une émigration. Mémoires*, Montréal, Boréal, 1997, p. 296.)

15. Dans les discours sur « la fin de la nation », on retrouve souvent l'argument voulant que la nation soit devenue un lieu identitaire déserté par des jeunes pour qui le virtuel est devenu réalité. Or, comme le soutient Jocelyn Létourneau, « [c]'est la nation qui, compte tenu de sa réalité déjà (souvent) instituée dans l'État, de sa reconnaissance internationale, de son histoire effective, de sa matérialité et de son unité fonctionnelle, demeure pour les jeunes le référent de première instance pour se situer, s'exprimer et se projeter dans le monde. » (Jocelyn Létourneau, « La nation des jeunes », *Les jeunes à l'ère de la mondialisation. Quête identitaire et conscience historique*, sous la direction de B. Jewsiewicki et J. Létourneau, Québec, Septentrion, 1998, p. 412.)

reconceptualisée, la nation demeure pour plusieurs une source identitaire fondamentale. Considérer comme futiles les tentatives de comprendre la nation équivaut donc à tourner en dérision la volonté de se comprendre comme sujet humain. Les théoriciens qui s'évertuent à circonscrire les limites fluctuantes de la nation, entendue comme un espace discursif, ont compris qu'il n'y a pas une frontière étanche entre représentation et réalité et que, au contraire, les représentations sont en fait partie prenante de la réalité. Leur travail n'est donc pas un projet désincarné qui ne prend forme que dans les quartiers sûrs et douillets de la tour d'ivoire universitaire.

Comme nous le rappelle Fernand Dumont, «[n]ous tâtonnons encore à la recherche d'une nouvelle figure de nous-mêmes[16]». Or celui qui se pose en théoricien de la nation, en plus de tenter de cerner les paramètres de l'identité collective, peut aussi proposer des figures alternatives de cette même identité. La conceptualisation de la nation, comme le suggère le philosophe Michel Seymour, «peut servir à amorcer une réflexion sur ce que l'on veut être et non seulement à fournir une image de ce que nous sommes déjà[17]». L'ère de l'intellectuel universel étant toutefois révolue[18], c'est à titre de sujet lui-même ancré dans son objet d'étude, et non en tant que théoricien qui s'abstrait du processus délibératif et tente d'en élaborer les règles et le contenu, que celui qui conceptualise la nation peut proposer ses représentations et ses récits alternatifs.

---

16. Fernand Dumont, *Genèse de la société québécoise*, Montréal, Boréal, 1993, p. 12.
17. Michel Seymour, *La nation en question*, Montréal, l'Hexagone, 1999, p. 98.
18. Voir Michel Foucault et Gilles Deleuze, «Les intellectuels et le pouvoir», *Dits et écrits*, volume II, Paris, Gallimard, 1994, p. 306-316.

En d'autres termes, l'intellectuel peut essayer de «conduire la conduite» de ses concitoyens dans différentes sphères intersubjectives (ce qui se conforme à la définition foucaldienne des relations de pouvoir et de la vie en société) plutôt que de tenter de *légiférer* ou d'ériger en horizons indépassables ses propres prescriptions normatives. De cette façon, l'intellectuel reconnaît que son orientation est singulière plutôt qu'universelle et *exemplifie* sa position plutôt que de légiférer à son sujet[19].

En plus d'offrir ma compréhension des interprétations dominantes de l'identitaire[20] au Québec, je tenterai aussi d'articuler une représentation alternative de l'identité québécoise. L'imaginaire québécois est absorbé, assiégé par deux représentations identitaires dominantes, qui comptent évidemment plusieurs variations : (1) le discours nationaliste mélancolique, parfois triste et résigné, souvent véhément et séditieux; (2) le discours antinationaliste, rationaliste et cosmopolitique. Tout au long de l'histoire récente du Québec, c'est-à-dire de l'affrontement entre *Cité libre* et *Parti pris* jusqu'aux débats provoqués par les articles de Marc Angenot publiés dans *Le Devoir* à l'été 1996, ces deux discours se sont confrontés, reformulés et érigés mutuellement en limites permanentes.

Cet affrontement séculaire et pérenne, bien qu'il ait le mérite d'avoir fait avancer la compréhension de la difficile relation entre nationalisme et libéralisme, a créé l'illusion que les figures de l'identitaire québécois se confinent soit à un nationalisme mélancolique prenant racine dans une

---

19. Voir David Owen, «Orientation and Enlightenment. An Essay on Genealogy and Critique», *Foucault contra Habermas*, S. Ashenden et D. Owen (dir.), Londres, Sage, 1999.
20. Tout au long de ce livre, j'entendrai par *identitaire* l'ensemble des formes et figures que prend l'identité québécoise dans ses multiples narrations ou interprétations.

fatigue culturelle prétendument congénitale, soit à un individualisme cosmopolitique. On assiste en quelque sorte à un aplatissement ou un laminage des possibles, à une fixation des formes potentielles de l'identité québécoise dans deux grandes catégories hermétiques et mutuellement exclusives. Sans contester la légitimité de ces deux discours, je vais plutôt m'en prendre à cette compression des horizons de l'identitaire québécois. Or la pensée et le savoir, selon Foucault, peuvent nous aider à nous «déprendre de nous-mêmes», à *devenir-autre*, à élargir notre panorama identitaire. Cet essai se veut donc une exploration des modes de «franchissement possible» de nos narrations identitaires paradigmatiques et apparemment indépassables. La philosophie peut s'envisager comme «le déplacement et la transformation des cadres de pensée, la modification des valeurs reçues et [comme le] travail qui se fait pour penser autrement, pour faire autre chose, pour devenir autre que ce qu'on est[21]». Alors que Gaston Miron était animé par le désir de «créer l'imaginaire d'un pays», je poursuivrai l'objectif plus modeste d'ébranler – un tant soit peu – un imaginaire trop restrictif[22]. Je tenterai, en d'autres mots, «d'oxygé-

---

21. Michel Foucault, «Le philosophe masqué», *Dits et écrits*, volume IV, Paris, Gallimard, 1994, p. 110. Le lecteur prendra rapidement conscience que le travail tardif de Michel Foucault constitue l'arrière-plan, la toile de fond de mon approche théorique. L'approche philosophique de Ludwig Wittgenstein nous conduit aussi dans cette direction. Selon Wittgenstein, «la philosophie est la lutte contre l'ensorcellement de notre entendement par les moyens de notre langage». *Investigations philosophiques*, traduit par P. Klossowski, Paris, Gallimard, 1961, paragraphe 109.

22. Comme le rappelle Gérard Bouchard, les représentations de *soi* et de l'*autre* sont au cœur de la notion d'imaginaire collectif. «L'imaginaire est donc le produit de l'ensemble des démarches par lesquelles une société se donne des repères pour s'ancrer dans

ner» une discussion qui ne semble parfois guère plus qu'une réitération constante de l'identique. Participer à un certain décloisonnement de l'imaginaire et à une «conversion du regard», tout en gardant à l'esprit les limites qui sont les miennes, sont les objectifs que je me suis fixés.

Souvent les auteurs ont tendance à exagérer la nouveauté et l'originalité de leur propos[23]. En ce qui me concerne, je ne suis certes pas le premier à tenter de pluraliser nos représentations de nous-mêmes ainsi que nos devenirs politiques possibles. Je m'inscris donc dans une tradition interprétative qui me précède et à laquelle j'espère pouvoir contribuer. De plus, il est bien commode pour l'auteur d'hypertrophier l'importance et la capacité structurante de la cible criblée par ses propres critiques. Alain Dubuc par exemple, dans sa série d'éditoriaux publiés dans *La Presse*, amplifie et dramatise grandement l'influence de ce qu'il nomme «les vaches sacrées de notre pensée politique» afin de mieux faire ressortir la force et la radicalité de ses perspectives sur le Québec. Selon lui, notre «obsession» pour la question nationale «nous amène aussi à nous complaire dans un repli sur soi. Prisonniers du passé, nous sommes en train de rater la modernité et d'entraver notre ouverture sur le monde[24].»

---

l'espace et dans le temps, pour rendre possible la communication entre ses membres et pour se situer par rapport aux autres sociétés.» (Gérard Bouchard, «L'histoire comparée des collectivités neuves. Une autre perspective pour les études québécoises», *Les Grandes conférences Desjardins*, Programme d'études sur le Québec de l'Université McGill, 1999, p. 4.)
23. À ce sujet, voir la très bonne chronique de Pierre Foglia, «Une soirée culturelle», *La Presse*, le 7 octobre 1999, p. A 5.
24. Alain Dubuc, «Tourner la page», *La Presse*, 19 février 2000. Il vaut peut-être la peine de souligner que les textes de Dubuc comportent *aussi* des idées susceptibles de faire avancer le débat.

Le moins que l'on puisse dire, c'est qu'il est bien difficile d'identifier ce «nous» évoqué par Dubuc au fil de ses éditoriaux pour représenter le Québec. L'éditorialiste semble en effet confondre «le Québec» avec un certain discours à son sujet.

Pourtant, d'un point de vue comparatif, rien ne me semble moins fondé que les diagnostics qui font du Québec une société captive de son passé, incapable de faire face aux défis de la «modernité» et paralysée par ses tensions intercommunautaires. Si l'opposition tenace entre nationalistes et antinationalistes m'apparaît contraignante et restrictive au point de vue tant de l'imaginaire que du politique, je ne crois pas que celle-ci surdétermine complètement les dynamiques sociétales repérables au Québec. Les modes d'aménagement de la diversité au Québec n'ont rien de retardataire et les réflexions innovatrices sur l'identité parviennent, depuis quelques années, à s'affranchir de plus en plus des interpellations nationaliste et antinationaliste. De plus, du moins si l'on en croit le synopsis que nous a livré Jean-François Lisée dans son dernier ouvrage, le Québec contemporain n'entrave ni sa modernité, ni son ouverture sur le monde[25].

*

Cet essai portant sur les frontières incertaines et évanescentes de l'identité québécoise n'est pas un livre d'histoire. Il ne me revient pas de juger de la validité historique des différents récits qui ont été construits au sujet des Québécois au cours des 40 dernières années. La pérennité de ces récits dans l'imaginaire des interprètes de

---

25. Jean-François Lisée, *Sortie de secours. Comment échapper au déclin du Québec*, Montréal, Boréal, 2000, p. 19-64.

la nation est pour moi plus importante que leur valeur historiographique. L'atavisme, ou le processus d'appropriation/traduction par lequel des intellectuels contemporains reprennent et réarticulent des perspectives élaborées dans les années 50 et 60, est l'un des thèmes fondamentaux de ce livre. Je ne ferai non plus ni une histoire des idées ni une sociologie des intellectuels, bien que la plongée dans les travaux des auteurs qui ont narré la nation québécoise depuis, *grosso modo*, les années qui ont précédé la Révolution tranquille, m'impose d'emprunter quelques techniques à ces disciplines[26]. Je m'efforcerai plutôt de participer à ce que Foucault appelle une «onto-logie critique de nous-mêmes». Ce mode de réflexion critique sur le présent, qui se veut davantage une attitude qu'une méthode ou un système, s'affaire à exhumer et exhiber ce qu'il y a de contingent et d'arbitraire dans ce qui est tenu pour nécessaire et absolu. Par le fait même, l'ontologie critique (et généalogique) peut nous permettre de nous aventurer, modestement et laborieusement, au-delà des images de nous-mêmes les plus sédimentées. «Je caractériserai, écrit Foucault, l'*êthos* philosophique propre à l'ontologie critique de nous-mêmes comme une épreuve historico-pratique des limites que nous pouvons franchir, et donc comme travail de nous-mêmes sur nous-mêmes en tant qu'êtres libres[27].» Cette problématisation de ce que nous sommes est, évidemment, toujours partielle,

---

26. Pour ce faire, je m'inspirerai assez librement de l'école contex-tualiste de Cambridge, dont Quentin Skinner est sans doute l'un des représentants les plus probants. Pour une discussion au sujet de son œuvre, voir James Tully (dir.), *Meaning and Context. Quentin Skinner and his Critics*, Princeton, Princeton University Press, 1988.
27. Michel Foucault, «Qu'est-ce que les Lumières?», *Dits et écrits*, vol. IV, p. 575.

limitée par l'étendue du champ imaginaire des possibles dans un espace et une temporalité donnés (on ne peut jamais s'affranchir complètement des cadres interprétatifs qui nous ont précédés, lesquels contraignent et stimulent à la fois de nouvelles interprétations) et, par conséquent, perpétuellement à recommencer. Cet essai se veut donc une contribution à cet incessant travail herméneutique sur nous-mêmes en tant que société distincte en Amérique du Nord.

Pour ce faire, je devrai explorer, soupeser, à la limite déconstruire certaines des figures principales de l'identitaire québécois. Ce qui me contraindra à critiquer, parfois sévèrement, le travail d'interprètes fort respectés et respectables. De Aquin à Larose, des citélibristes d'antan à Derriennic, les interprétations paradigmatiques de l'identité québécoise comptent sur des paroliers à qui il n'est pas facile, principalement pour le nouveau venu, de s'en prendre. Toutefois, même si le débat acéré, cinglant, est à la mode, il n'est nullement dans mon intention de *polémiquer* avec ceux et celles qui ont consacré et consacrent toujours une somme importante de leur énergie à rendre l'identité québécoise un peu plus intelligible et à en proposer des figures alternatives. Comme le suggère Foucault, le polémiste n'a pas comme interlocuteur « un partenaire dans la recherche de la vérité, mais un adversaire, un ennemi qui a tort, qui est nuisible et dont l'existence même constitue une menace[28] ». On peut opposer à la polémique, qui carbure aux dogmes et à la pensée close et statique, une « élucidation réciproque » où chacun des interlocuteurs peut parler dans ses propres termes, reconnaît la légitimité du point de vue adverse et consent à

---

28. Michel Foucault, « Polémique, politique et problématisation », *ibid.*, p. 591.

mettre en jeu ses propres positions à la lumière des perspectives d'autrui. Une élucidation réciproque, au dire du philosophe James Tully, est toujours relative, partielle, contextuelle, précaire et, par conséquent, soumise à une reconstruction perpétuelle. L'élucidation réciproque tient davantage de l'ébauche ou de l'esquisse *(sketch)*, au sens wittgensteinien du terme, qu'à une théorie exhaustive[29]. Il ne s'agit donc pas de la répétition dogmatique de convictions inébranlables, ni de l'acceptation passive et béate des thèses adverses, mais de la rencontre agonique d'idées parfois contradictoires, parfois similaires. *Contra* l'éthique du discours et le consensualisme habermassiens, il n'est nullement présumé que « la force du meilleur argument » signifiera la même chose pour tous les participants au terme du jeu sérieux et difficile qu'est l'élucidation réciproque.

Malgré mon profond désaccord avec certaines de leurs thèses, il me serait de toute façon impossible de polémiquer avec des gens comme Fernand Dumont et Régine Robin (pour n'en nommer que deux) et, ce faisant, de les traiter en adversaires illégitimes. Ceux-ci, en démontrant de façon irréfutable que les sciences humaines et sociales québécoises peuvent flirter avec l'excellence, méritent beaucoup mieux que de se voir traîner dans les ruelles de la polémique.

*

---

29. James Tully, « Democracy and Globalization. A Defeasable Sketch », *Canadian Political Philosophy and the Turn of the Century*, R. Beiner et W. Norman (dir.), Ottawa, Ottawa University Press, 2000. Les *Investigations philosophiques* de Wittgenstein sont peut-être la meilleure exemplification de cette approche philosophique.

Il existe tout un discours, au Québec, sur la prétendue indifférence des jeunes Québécoises et Québécois à l'égard des enjeux sociaux et politiques. Érigeant en idéal régulatif une jeunesse aux accents soixante-huitards alternant manifestations estudiantines et projets de révolution, nombre de *baby-boomers* reprochent plus ou moins subtilement aux jeunes un certain quiétisme politique. L'engagement des jeunes serait le grand absent des débats sociopolitiques du Québec contemporain. Absorbé par la quête de réussite individuelle ou par un hédonisme oisif et complaisant, le jeune Québécois aurait déserté la chose publique pour envahir la sphère de l'intimité. Et, le plus souvent, les jeunes qui réussissent à se faire entendre se font rappeler à l'ordre pour cause d'absence de jugement critique, de conformisme et d'incapacité à formuler des projets de société à la fois inédits et réalistes. Entre l'apathie et le conformisme, l'espace de liberté des jeunes Québécoises et Québécois engagés est comprimé jusqu'à l'insignifiance.

En guise d'antithèse à ce discours aux accents moralisateurs (qui tient peu compte du contexte dans lequel les jeunes d'aujourd'hui doivent se choisir et se définir) s'est ancrée la conviction chez plusieurs jeunes que leur avenir est bloqué et qu'un cul-de-sac leur tient lieu de destinée[30]. Au cœur de ce raisonnement se trouve l'idée que les révolutionnaires tranquilles se sont construit une société sur mesure, répondant parfaitement à leurs besoins et, en corollaire, incapable d'intégrer les nouvelles générations.

---

30. Pour une discussion plus détaillée de ces enjeux, voir Daniel Tanguay, « Requiem pour un conflit générationnel », *Argument*, volume 1, numéro 1, automne 1998, p. 58-80. Et la réplique d'Éric Bédard, « L'*esprit-boomer* n'a pas d'âge », *Argument*, volume 2, numéro 2, hiver 2000, p. 142-149.

Cette société structurellement tronquée et biaisée ne peut que refouler sur ses marges le différent, c'est-à-dire la jeunesse et ses projets de transformation sociale. Une bonne partie de la jeunesse québécoise contemporaine se reconnaît parfaitement dans ce discours sur le prétendu « sacrifice » de toute une génération. Dans ce contexte, la *praxis* des mouvements jeunesse se limite à l'opposition systématique, à la dénonciation généralisée et à la « démonisation » des artisans tranquilles de la vaste réforme sociale des années 60. Le *baby-boomer* devient l'*autre*, l'ontologiquement différent, dont le jeune a besoin pour définir et maintenir une identité en péril.

C'est à travers les vagues créées par ces deux discours, excessifs mais légitimes, que cette intervention tente de naviguer. Il est important, comme jeune, de faire la critique des structures institutionnelles *et* symboliques que certains *baby-boomers* ont trop intériorisées pour être capables de les remettre en question. Il est tout aussi important, afin d'offrir une résistance à un certain défaitisme, de montrer que tout n'est pas joué pour les jeunes, qu'il est toujours possible de se faire entendre et de participer au façonnement du Québec contemporain. Polymorphe et plurielle, la jeunesse québécoise doit prendre part à l'institution politique et imaginaire d'une nation qu'elle tiendra à bout de bras dans quelques années. Fort évidemment, mon intervention ne se veut qu'une voix parmi d'autres. Le temps où l'intellectuel pouvait s'ériger en conscience représentative est bel et bien terminé. Personne ne peut avoir la prétention de parler au nom des jeunes intellectuels québécois d'aujourd'hui. De toute façon, il serait un peu loufoque de prétendre parler pour de jeunes auteurs comme Dimitrios Karmis, Josée Bergeron, Francis Dupuis-Déri, Louis Cornellier, Marcos Ancelovici, Jean-Philippe Warren, Anne Trépanier,

Stéphane Kelly, Éric Bédard, Luc Turgeon, Christine Straehle et bien d'autres qui ont davantage besoin de tribunes pour s'exprimer que de voix représentatives...

Mais 26 ans, c'est bien jeune pour écrire des mots qui resteront gravés à jamais. L'exercice de la pensée est une ascèse très particulière. Il n'y a que le temps, l'application, la diligence, la rigueur et l'humilité qui sont garants d'une pensée mature, nuancée et innovatrice. Plusieurs caractéristiques un peu étrangères donc au jeune qui voit son pouvoir réflexif et sa capacité créatrice fluctuer au rythme de ses efforts quotidiens. Toutefois la philosophie et la pensée sociale et politique se libèrent lentement de leur propension stérile à vouloir s'ériger en système ou en théorie définitive. Principalement grâce à l'apport de penseurs comme Nietzsche, Wittgenstein, Arendt, Foucault et, chez les contemporains, Taylor et Tully, la philosophie semble prendre un «tournant pratique» et les travaux philosophiques prennent de plus en plus la forme de l'exploration, de l'ouverture, de l'esquisse ou de la brèche; des travaux qu'il faut donc perpétuellement reprendre, corriger et amender. C'est dans cette perspective que ce premier essai sur les frontières mouvantes de l'identité québécoise doit être lu.

CHAPITRE 1

De la fatigue culturelle au difficile passage vers la maturité : l'identité québécoise dans sa narration mélancolique

Le Canada français, culture fatiguée et lasse, traverse depuis longtemps un hiver interminable; chaque fois que le soleil perce le toit de nuages qui lui tient lieu de ciel, ce malade affaibli et désabusé se met à espérer de nouveau le printemps.

Hubert Aquin

Il existe au Québec tout un discours portant sur la fragilité, la précarité, l'existence tragique, la fatigue, la modestie, l'inculture, la médiocrité, l'immaturité et la pusillanimité du peuple québécois. Ceux et celles qui entonnent ce sombre chant national s'abreuvent à un cours d'eau aux multiples affluents. En cherchant un peu, et en adoptant un certain rapport au passé, on peut en effet trouver dans la genèse de la société québécoise, ainsi que dans son histoire récente, de quoi alimenter une grande déprime ou, plus précisément, une certaine mélancolie collective. Au dire de Freud, la mélancolie se vit comme un deuil dont la provenance nous échappe, un deuil que l'on ne peut ramener à une perte précise et bien identifiable[1]. La mélancolie serait donc un sentiment de

---

1. Sigmund Freud, « Mourning and Melancholia », *The Freud Reader*,

deuil évasif, diffus et latent. C'est ainsi que, de génération en génération, des intellectuels et écrivains québécois tentent de retracer le fil de cette mélancolie, pensant ainsi remonter à l'origine des maux du Québec contemporain. Une myriade de réponses nous est donc offerte pour expliquer ce deuil : la défaite sur les plaines d'Abraham et la Conquête anglaise, l'abandon de la Nouvelle-France par la mère patrie, la domination du conquérant et la persistance des menaces d'assimilation (dont le rapport Durham fut la plus éclatante manifestation), les échecs répétés de *refondation* du pays (1837-1838, 1980, 1995), les «humiliations» constitutionnelles infligées au Québec (rapatriement unilatéral de la Constitution en 1982, échec de Meech en 1990), le néo-impérialisme économique et culturel étasunien, l'hégémonie nord-américaine et planétaire de la langue anglaise, etc.

Derrière ce regard rétrospectif se profile un certain rapport à l'histoire qui rassemble les penseurs qui auscultent la conscience dite malheureuse des Québécois. D'une part, on retrouve implicitement ou explicitement le postulat voulant que certains événements marquants de l'histoire du Québec aient été refoulés et intériorisés dans l'inconscient collectif des Québécois. Pour les penseurs mélancoliques, ces événements sont des *traumas* qui ont modifié et altéré la conscience de soi des Canadiens français et, subséquemment, des Québécois[2]. Ces traumas réprimés et intériorisés sont devenus une seconde nature et hantent clandestinement «ce petit peuple» d'Amérique

---

Peter Gay (dir.), New York et Londres, W.W. Norton & Company, 1989, p. 584.

2. C'est ce que le philosophe (Daniel Jacques nomme la «mémoire traumatique» de certains auteurs québécois. (Daniel Jacques, «La mort annoncée d'un projet insignifiant?», *Possibles*, volume 19, numéros 1-2, hiver-printemps 1995, p. 216.)

en structurant son *ethos*. Ce retour du refoulé se manifeste (inconsciemment) dans chaque acte pusillanime posé par la collectivité, dans chaque «rendez-vous manqué» avec l'Histoire, et explique en corollaire le difficile passage du Québec vers la maturité. L'imaginaire national, pour reprendre l'expression de Gérard Bouchard, se nourrit de «mythes dépresseurs[3]». Pour sortir de sa torpeur culturelle, le Québec devra, selon ces narrateurs, se réconcilier avec son passé en acceptant et en s'appropriant une histoire parsemée d'embûches et de défaites. Alors seulement le Québec pourra-t-il *vivre* plutôt que *survivre*. Pour employer des figures métaphoriques qui reviennent ponctuellement, c'est par cette réconciliation qu'un Québec endeuillé pourra enfin quitter l'*enfance*, l'*hiver*, l'*hibernation*, l'*obscurité* ou la *noirceur* qui caractérisent jusqu'ici son cheminement historique. En d'autres termes, c'est d'un devoir de mémoire et de l'acceptation d'une histoire douloureuse que procédera l'exorcisme d'un passé qui assassine le présent.

D'autre part, ces auteurs partagent aussi l'idée que, par un examen minutieux et systématique de l'histoire du Québec, il est possible d'avoir accès à l'*essence* ou la *substance* de l'identité québécoise[4]. Ces penseurs nationalistes sont en quelque sorte à la recherche d'une authenticité perdue. Évidemment, cette congruence au sujet de la tâche

---

3. Gérard Bouchard, «L'histoire comparée des collectivités neuves...», *op. cit.*, p. 26.
4. Comme je le noterai plus loin, on retrouve chez les auteurs nationalistes étudiés ici des essentialisations historiques plutôt que métaphysiques. J'ai tenté une critique des interprétations substantialistes de l'identité québécoise dans «Authenticités québécoises. Le Québec et la fragmentation contemporaine de l'identité», *Globe. Revue internationale d'études québécoises*, volume 1, numéro 1, novembre 1998, p. 9-35.

à accomplir n'implique pas que ces auteurs s'entendent sur la teneur de la substance de l'identité québécoise. Du colonisé sans le savoir jusqu'au souverainiste, en passant par le Français d'Amérique et l'Américain s'exprimant en français, la réification de l'identité québécoise prend des formes multiples. Toutefois, puisque la survivance de la nation québécoise ne peut jamais être tenue pour acquise (en raison de son contexte géopolitique), la définition et la délimitation de l'authenticité québécoise ne sont pas seulement des *possibilités*, mais surtout des *nécessités*. En effet, arguent ces auteurs, à quoi bon lutter pour la préservation et la promotion d'une culture si on est incapable de saisir à quoi tiennent sa spécificité et son originalité. La chosification de l'identité québécoise devient donc la condition de possibilité de sa défense et de sa promotion. Or, comme je tenterai de le démontrer au chapitre 4, cette syntaxe repose sur une conception périmée et inopérante de la notion d'authenticité.

Le discours mélancolique sur la léthargie culturelle congénitale des Québécoises et des Québécois n'est toutefois pas monolithique. Rien ne serait plus absurde que de ramener les narrations de l'identité québécoise que je scruterai dans ce chapitre à un tout homogène. Il y a autant de différences, sinon d'antinomies, que de similitudes entre les discours d'intellectuels comme Hubert Aquin, Pierre Vallières, Christian Dufour et Jean Larose (pour n'en nommer que quelques-uns). Le vague à l'âme qui semble unir les auteurs étudiés ici prend, dans leurs écrits, une multiplicité de formes : pitié, protection, empathie, mépris, résignation (fuite, exil, retrait, individualisme radical), activisme (conscientisation, appels aux actes, parfois même à la violence), «démonisation» de l'autre, etc. Je me propose donc, afin de faire ressortir les similitudes et les différences entre les travaux d'auteurs que je qualifierai, suivant en cela l'intuition de Jocelyn Létourneau, de « mélancoliques[5] », de procéder à une analyse non exhaustive du discours véhiculé par des auteurs parfois chagrinés, parfois révoltés par la condition identitaire passée et présente de la collectivité québécoise. Il ne s'agira pas pour moi de dégager l'essence de cette tradition interprétative, mais bien de relever des « ressemblances de famille ». Je procéderai donc en quelque sorte à une iconographie sélective et parcellaire de champ de l'identitaire québécois. À moins d'en faire l'unique objet de sa recherche, il est pratiquement impossible d'effectuer une recension complète de ce vaste corpus littéraire et scientifique. J'ai donc choisi d'examiner les écrits des paroliers qui, dans l'histoire récente du Québec, me semblent les plus représentatifs. Cette incursion dans le discours social national-mélancolique n'est pas un simple exercice exégétique. En la menant à terme, mon but est de rendre manifeste l'indélébilité de cette représentation de soi dans l'identitaire québécois et, ce faisant, de chercher à comprendre comment cette dramaturgie a été récupérée et traduite par les auteurs mélancoliques contemporains.

---

5. « Cette mélancolie constitue l'une des matrices fondamentales de la production littéraire et scientifique – si ce n'est de l'épistémè mémorielle et historiale – québécoise passée et contemporaine. » (Jocelyn Létourneau, « "Impenser" le pays et toujours l'aimer », *Cahiers internationaux de Sociologie*, volume CV, 1998, p. 363.) Voir aussi « Pour une révolution de la mémoire collective. Histoire et conscience historique chez les Québécois », *Argument*, volume 1, numéro 1, automne 1998. Jean Larose lui-même, inclus ici dans mon analyse du discours social mélancolique, considère que les Québécois, jamais complètement consolés de la perte du continent, vivent une perpétuelle « mélancolie continentale ». (Jean Larose, *L'amour du pauvre*, Montréal, Boréal, 1991, p. 87.)

DE L'ÉCOLE DE MONTRÉAL À FERNAND DUMONT : LES EFFETS DE LA CONQUÊTE SUR L'IDENTITÉ QUÉBÉCOISE

En parcourant la *Genèse de la société québécoise* de Fernand Dumont, on prend rapidement conscience de la persistance dans l'histoire du Québec du discours sur le statut de peuple vaincu, conquis, annexé et dominé des Canadiens, des Canadiens français et des Québécois. Derrière cette condition « objective » s'est profilée l'image du Canada francophone comme peuple vaillant, résistant, modeste, mais aussi ignare, attardé et frileux (au progrès, et non au climat, puisque *l'hiver de la survivance* serait son habitat naturel). Borduas, dans son célèbre manifeste, ne qualifiait-il pas les Canadiens français de « petit peuple serré de près aux soutanes [...] tenu à l'écart de l'évolution universelle de la pensée pleine de risques et de dangers, éduqué sans mauvaise volonté, mais sans contrôle, dans le faux jugement des grands faits de l'histoire quand l'ignorance complète est impraticable[6] ». Le cri de Borduas visait entre autres à en finir avec cette « honte de soi » qui « étouffait tout bas » les Canadiens français.

De l'appel à la *décolonisation* violente et flamboyante à une entreprise plus subtile de psychanalyse collective, bien des voies ont été explorées par les penseurs qui se sont penchés sur les effets de la colonisation anglaise. Tenant pour acquise l'*anormalité* du statut politique et du profil psychologique des Canadiens français et Québécois, plusieurs auteurs ont voulu contribuer à la normalisation de leur société en débusquant dans le passé la source des pathologies collectives contemporaines. Dès la fin des

---

6. Paul-Émile Borduas, *Refus global et autres écrits*, Montréal, l'Hexagone, 1990, p. 65.

années 40, l'école historiographique de Montréal, constituée principalement de Guy Frégault, Maurice Séguin et Michel Brunet, s'affairait à démontrer «que les francophones ne s'étaient jamais remis de la Conquête» anglaise de 1760[7]. La Conquête, comme épisode cataclysmique de l'histoire du Québec, serait, selon les anciens disciples du chanoine Groulx, l'événement qui a structuré le devenir ultérieur des francophones au Canada. Un événement dont on sentait encore les secousses, selon eux, dans le Québec des années 50 et 60. La mémoire traumatique de certains penseurs nationalistes trouve son exemple le plus frappant dans ces phrases apocalyptiques écrites par Séguin :

> il est possible de juger la conquête anglo-américaine et le changement d'empire comme un désastre majeur dans l'histoire du Canada français. C'est une catastrophe qui arrache cette jeune colonie à son milieu protecteur et nourricier et l'atteint dans son organisation comme société et comme nation en formation, la condamnant à l'annexion, à la subordination politique et économique[8]...

Le verdict est sans équivoque : la Nouvelle-France était une société qui s'apprêtait à franchir le seuil de la *normalité* politique, économique et culturelle. Or l'annexion à l'empire britannique se veut l'amorce d'un long processus de désorganisation et de déstructuration du Canada français. Le peuple canadien, selon Frégault, fut alors «brisé[9]».

---

7. Ronald Rudin, *Faire de l'histoire au Québec*, traduit par Pierre R. Desrosiers, Québec, Septentrion, 1998, p. 115.
8. Maurice Séguin, *Une histoire du Québec. Vision d'un prophète*, Denis Vaugeois (dir.), Montréal, Guérin, 1995, p. 15.
9. Comme le résume Jean Lamarre, «pour les tenants du néo-nationalisme, courant de pensée qu'a développé et incarné l'École historiographique de Montréal, l'infériorité économique des Canadiens français, le caractère rétrograde de leurs institutions,

En unissant leurs efforts, Brunet, Frégault et Séguin ont peint le portrait d'une société canadienne-française coulée dans le moule des autres sociétés coloniales américaines. Selon Frégault, « les perspectives de l'Amérique française, jusqu'en 1760, apparaissent semblables à celles de l'Amérique britannique[10]... » Seul le séisme provoqué par la Conquête a pu faire dérailler un peuple qui s'acheminait progressivement vers la normalité politique. À l'opposé des historiens de l'Université Laval, qui imputaient aux francophones eux-mêmes la responsabilité de l'anomie culturelle, économique et politique du Canada français, les néo-nationalistes de Montréal rejetaient « le blâme sur les autres, notamment sur les Anglais qui avaient conquis le Québec au XVIIIe siècle et dont les descendants demeuraient toujours en position de force[11] ».

La Conquête aurait donc l'effet d'une césure dans l'histoire du Québec. C'est de cette dernière qu'aurait émergé ce long purgatoire nommé *survivance*. En effet, puisque l'émancipation économique, culturelle et politique se trouvait structurellement entravée par l'occupation anglaise, les Canadiens français ne pouvaient espérer que survivre, c'est-à-dire s'accrocher tant bien que mal à certaines pratiques et institutions héritées du régime français et tenter de repousser dans le temps les menaces d'as-

---

l'influence disproportionnée qu'exerce le clergé au sein de la société, ainsi que la survivance nationale ne sont que les conséquences diverses de la rupture qu'a provoquée la Conquête anglaise dans le devenir de la nation canadienne-française. » (*Le devenir de la nation québécoise selon Maurice Séguin, Guy Frégault et Michel Brunet (1944-1969)*, Sainte-Foy, Septentrion, 1993, p. 19.)
10. Guy Frégault, *La guerre de la Conquête*, Montréal, Fides, 1954, p. 100.
11. Ronald Rudin, *op. cit.*, p. 153.

similation. Le choix était clair : survivre ou périr. Selon l'école de Montréal, l'existence tragique des francophones s'incarne précisément dans ce dilemme perpétuel entre la survivance et l'assimilation.

Plusieurs observateurs s'entendent pour dire que c'est dans les travaux des historiens de l'école de Montréal que se trouve la source du néo-nationalisme québécois. Ayant rompu avec le nationalisme plus conservateur et clérical de Lionel Groulx, les Brunet, Frégault et Séguin auraient en quelque sorte jeté les fondations d'un affirmationnisme sans cesse renouvelé depuis[12]. Chose certaine, les historiens de l'Université de Montréal ont façonné de façon considérable l'imaginaire de toute une génération de nationalistes québécois qui, à l'instar de Séguin, se demandent comment il sera possible de « corriger deux siècles d'histoire[13] ». Convaincus de l'anormalité de la condition identitaire québécoise passée et présente, les héritiers de l'école historiographique de Montréal considèrent que la *correction* de notre passé serait le défi le plus important de notre histoire. Et le chemin que doit emprunter cette correction est déjà tracé : il suffit de regarder droit dans les yeux notre statut de peuple vaincu et dominé et d'amorcer un processus de *décolonisation* qui, deux siècles plus tard, tarde toujours à se concrétiser.

---

12. Denis Vaugeois considère par exemple que Séguin « est peut-être l'intellectuel qui a eu le plus d'influence sur l'évolution du Québec depuis 1960 » dans Maurice Séguin, *op. cit.*, p. V. De façon plus nuancée, des gens comme Jean Lamarre et Léon Dion attribuent une grande importance aux travaux des historiens de Montréal dans le façonnement d'un nationalisme moderne au Québec. Voir R. Rudin, *op. cit.*, p. 118.
13. Maurice Séguin, *op. cit.*, p. 210.

Hubert Aquin, *Parti pris* et l'atavique fatigue des Canadiens français

Malgré ce que son préfixe semble indiquer, le néo-nationalisme québécois regroupe une tradition d'intellectuels fondamentalement déçus et fatigués. Les néo-nationalistes, pour reprendre le titre d'un poème de Gérald Godin, l'un de leurs plus valeureux représentants, ont « mal au pays ». Cette mélancolie était déjà palpable dans le ton un peu morose et résigné des historiens de l'école de Montréal. On la sent toutefois dans toute son intensité dans la tristesse et le désabusement d'un Hubert Aquin, qui s'est donné comme mission d'articuler, de nommer cette neurasthénie collective. Son article intitulé « La fatigue culturelle du Canada-français » se veut sans doute l'un des essais fondateurs du nationalisme mélancolique québécois.

C'est en prétextant répliquer à un texte de Pierre Elliott Trudeau publié dans *Cité libre* que Aquin s'applique à décrire la condition identitaire québécoise du début des années 60[14]. À l'instar des nationalistes mélancoliques qui l'ont suivi et précédé, Aquin considère que l'aplatissement historique des Canadiens français émane de leur statut de minoritaires. Minorisés depuis deux cents ans, les francophones auraient développé toute une série de traits pathologiques habituellement réservés aux individus souffrant de puissants complexes d'infériorité et d'une faible estime de soi. C'est d'ailleurs de cette aliénation tranquille et quotidienne, mais symptomatique de l'inertie de toute une culture, qu'aurait émergé ce que Aquin nomme « la fatigue culturelle du Canada-français ».

---

14. Pierre Elliott Trudeau, « La nouvelle trahison des clercs », *Cité libre*, volume XIII, numéro 46, avril 1962.

Pour Aquin, la corrélation entre la condition névrotique qu'il diagnostique chez ses contemporains et la persistance d'un statut de minoritaires ne fait aucun doute :

> Ai-je besoin d'évoquer, dans ce sens, tous les corollaires psychologiques de la prise de conscience de cette situation minoritaire : l'autopunition, le masochisme, l'autodévaluation, la «dépression», le manque d'enthousiasme et de vigueur, autant de sous-attitudes dépossédées que des anthropologues ont déjà baptisées de «fatigue culturelle». Le Canada français est en état de fatigue culturelle et, parce qu'il est invariablement fatigué, il devient fatiguant[15].

La «difficulté d'être» des Canadiens français est la conséquence à long terme de l'infériorisation constante mais subtile dont ils ont été victimes depuis la fin du régime français. Aquin considère même comme «dépressive» la culture canadienne-française. Soutenant implicitement que l'on peut transposer les catégories heuristiques conçues pour l'analyse de la psyché individuelle à l'étude des collectivités, Aquin affirme que la culture canadienne-française «offre tous les symptômes d'une fatigue extrême : elle aspire à la fois à la force et au repos, à l'intensité existentielle et au suicide, à l'indépendance et à la dépendance[16]». Ce va-et-vient entre conscience individuelle et conscience collective est d'ailleurs l'une des formes caractéristiques que prend la pensée de l'écrivain-essayiste[17]. «Je suis moi-même cet homme "typique",

---

15. Hubert Aquin, «La fatigue culturelle du Canada-français», *Blocs erratiques*, Montréal, Typo, 1998, p. 99-100.
16. *Ibid.*, p. 111.
17. Selon André-J. Bélanger, de pareils glissements sont monnaie courante dans les textes de partipristes comme Paul Chamberland et Pierre Maheu. (André-J. Bélanger, «La recherche d'un collectif : *Parti Pris*», *Ruptures et constantes. Quatre idéologies du Québec en*

errant, exorbité, fatigué de mon identité atavique et condamné à elle», se désespère d'ailleurs Aquin à ce propos[18]. Le personnage principal de *Prochain épisode* n'hésite d'ailleurs pas à projeter les tribulations de sa propre subjectivité sur l'être et le devenir historique canadiens-français. Histoire et biographie s'entremêlent et causent chez Aquin et son personnage un sentiment paralysant de révolte et d'impuissance :

> Je suis le symbole fracturé de la révolution du Québec, mais aussi son reflet désordonné et son incarnation suicidaire. [...] Me suicider partout et sans relâche, c'est là ma mission. En moi, déprimé explosif, toute une nation s'aplatit historiquement et raconte son enfance perdue, par bouffées de mots bégayés et de délires scripturaires et, sous le choc noir de la lucidité, se met soudain à pleurer devant l'immensité du désastre et de l'envergure quasi sublime de son échec. Arrive un moment, après deux siècles de conquêtes et trente-quatre ans de tristesse confusionnelle, où l'on n'a plus la force d'aller au-delà de l'abominable vision[19].

Englués dans une culture fatiguée et agonisante, les Canadiens français oscillent, chez Aquin, entre désir de révolution et suicide collectif. Malgré la pénombre qui lui

---

éclatement : *La Relève, La JEC, Cité Libre, Parti Pris*, Montréal, Hurtubise HMH, 1977.) Ce procédé est d'ailleurs fréquent chez les intellectuels mélancoliques. Jean Bouthillette, réfléchissant sur son essai *Le Canadien français et son double*, qui aurait pu être recensé ici, admet qu'il a «osé faire de [son] autobiographie intime la biographie de tout un peuple». (Jean Bouthillette, «Lettres sur le Québec», *Liberté*, volume 40, numéro 6, décembre 1998, p. 26.)

18. Hubert Aquin, *op. cit.*, p. 110.
19. Hubert Aquin, *Prochain épisode*, Montréal, Bibliothèque québécoise, 1992, p. 21. «Cher pays déboussolé, comme je te ressemble...» poursuit Aquin dans *Trou de mémoire*, Montréal, Bibliothèque québécoise, 1993, p. 135.

tient lieu d'habitat, la culture canadienne-française, tiraillée entre pulsion de vie et pulsion de mort, peut percevoir au loin la lueur de la rédemption. C'est ainsi que résignation et activisme composent la déprime explosive de Aquin et de ses compatriotes. D'un côté, l'essayiste avance qu'«il n'est pas dit qu'il [le Canada anglais] n'aura pas raison finalement de notre *fatigue culturelle* qui est très grande[20]», alors que le héros du romancier est «sur le point de céder à la fatigue historique[21]». De l'autre, les appels à la révolution et à l'affranchissement d'une condition débilitante ne sont jamais très loin, comme quoi la culture canadienne-française ne serait pas encore complètement ensevelie sous le poids de l'histoire[22]. Le conquis, au dire de Aquin, «s'est taillé une toute petite place entre la mort et la resurrection[23]».

Pour Aquin et ses successeurs mélancoliques, le caractère atavique de l'identité québécoise ne fait aucun doute. Cette fatigue congénitale qu'il a diagnostiquée serait transmise, sous différentes formes mais ontologiquement inaltérée, de génération en génération. Ceux qui prétendent ne pas ressentir les effets des stigmates du passé feraient tout simplement preuve de mauvaise foi ou de fausse conscience. Comme nous le verrons plus loin, cet imperceptible atavisme serait d'ailleurs le frein principal à la mutation de la conscience collective des Québécois; une mutation que les penseurs nationalistes mélancoliques n'ont jamais cessé d'appeler depuis les années 60.

---

20. Hubert Aquin, «La fatigue culturelle du Canada-français», p. 98.
21. Hubert Aquin, *Prochain épisode*, p. 133.
22. «Aujourd'hui, j'incline à penser que notre existence culturelle peut être autre chose qu'un défi permanent et que la fatigue peut cesser.» Hubert Aquin, «La fatigue culturelle du Canada-français», p. 110.
23. Hubert Aquin, *Trou de mémoire*, p. 39.

Avant même la publication en 1962 de l'essai fondateur de Aquin dans la revue *Liberté*, on pouvait trouver dans des poèmes de Gaston Miron la présence d'un *nous* esseulé, agonisant, mais vindicatif. On retrouve en effet dans les vers de Miron la même structure bipolaire que chez Aquin. Par exemple, à la lecture des poèmes regroupés dans *La Vie agonique*, on ressent toute la profondeur du conditionnement historique dont ont été victimes les Canadiens français. Par contre, dès lors que la lassitude et le découragement envahissent le lecteur, Miron l'incendie en lui indiquant la route menant à la désaliénation collective :

> *Maintenant je sais nos êtres en détresse dans le siècle*
> *je vois notre infériorité et j'ai mal en chacun de nous*
>
> *Aujourd'hui sur la place publique qui murmure*
> *j'entends la bête tourner dans nos pas*
> *j'entends surgir dans le grand inconscient résineux*
> *les tourbillons des abattis de nos colères*[24].

Dans certains de ses essais, Miron s'applique à débusquer les multiples et insidieuses manifestations, principalement dans la langue parlée, du «phénomène colonial» au Québec. L'aliénation linguistique du francophone est présentée en quelque sorte comme l'épiphénomène d'une incapacité plus profonde à faire face à l'altérité. C'est ce que Miron nomme «la névrose canadienne-française face à l'Autre[25]». Le regard dégradant et humiliant de l'autre

---

24. Gaston Miron, «Sur la place publique. Recours didactique», *L'homme rapaillé*, Montréal, Typo, 1998, p. 99. Dans la même veine, voir aussi *L'octobre*.
25. Gaston Miron, «Le bilingue de naissance», *ibid.*, p. 221.

anglo-canadien ayant fait des «ravages psychologiques» sur la conscience de soi des francophones, il ne resterait plus à ces derniers qu'à «assumer», à «revendiquer» et à «retourner en une affirmation positive» leur condition de colonisés. C'est par cette acceptation que passe, selon Miron (à l'instar des historiens de l'école de Montréal) «l'émergence de l'authenticité»; une authenticité bien enfouie sous des décennies de subordination linguistique, culturelle, politique et économique[26].

Le «réveil» du Québec d'un long sommeil dogmatique s'incarne avec le plus d'acuité dans l'écriture de collaborateurs à *Liberté* et *Parti pris* comme Aquin, Miron et Godin. Cet affranchissement se présente à la fois comme la prise de conscience et l'articulation du conditionnement psychologique collectif à l'origine de la honte et du mépris de soi des Québécois *et* comme le dépassement de cette condition psychologique infériorisante (par l'entremise d'une rupture cathartique violente). Comme le note avec justesse André-J. Bélanger, cette dialectique est au cœur de l'entreprise partipriste des premières années. Se situant toujours dans les confins de la narration historique néo-nationaliste, «*Parti pris* rend imputable à la Conquête de 1760 le sort présent du Québécois[27]». Au diapason d'une époque intellectuelle où de Paris rayonnait la psychanalyse, des partipristes comme Pierre Maheu et Paul Chamberland considèrent que «l'observation psychanalytique d'une pathologie québécoise[28]» (la dislocation des consciences causée par la domination subtile du

---

26. Gaston Miron, « Un long chemin », *ibid.*, p. 197 et 204.
27. André-J. Bélanger, *op. cit.*, p. 145. Mon traitement du projet partipriste s'inspire largement de l'interprétation qu'en fait Bélanger.
28. *Ibid.*, p. 147.

colonisateur) et l'exploration de l'inconscient collectif des Québécois sont des conditions préalables à toute émancipation politique et culturelle de la collectivité québécoise. Les membres fondateurs de *Parti pris* veulent déceler et exhiber l'occupation de la conscience collective des Québécoises et des Québécois par l'autre. C'est de cette infiltration, qui permettrait au conquérant de déterminer et de façonner selon ses propres valeurs et intérêts l'auto-représentation des Québécois, que provient selon eux l'impuissance imaginaire des francophones à se défaire du sentiment endémique de honte et de mépris qui les habite. «Pour *Parti pris*, opine Bélanger, le grand atout de l'autre c'est sans conteste d'être parvenu à nous faire refouler le ressentiment normal que nous pouvions nourrir contre lui, pour le retourner contre soi sous la forme de culpabilité, c'est-à-dire, haine de soi-même[29].» La priorité des premiers partipristes était donc de faire naître une vaste prise de conscience chez les Québécois; une prise de conscience qui devait s'avérer prodrome de la constitution d'un véritable mouvement de libération nationale. Ayant bien assimilé les méditations de Marx sur les conséquences de l'exploitation capitaliste et de Fanon sur les effets du colonialisme, les partipristes considèrent qu'il n'est possible «d'avancer résolument que si l'on prend d'abord conscience de son aliénation[30]».

L'héritage théorique de la psychanalyse n'est toutefois pas le seul dont se réclament les membres de *Parti pris*. L'articulation réflexive de la névrose identitaire des francophones ne suffisait pas. Formés également à l'école du marxisme et de l'anticolonialisme, les partipristes étaient

---

29. *Ibid.*, p. 146.
30. Frantz Fanon, *Les damnés de la terre*, Paris, Gallimard, 1991, p. 272.

aussi animés par la mission de formuler une *praxis* capable de délier les chaînes de l'aliénation nationale. À l'heure de la décolonisation africaine et de Che Guevara, les nationalistes anticolonialistes québécois ne pouvaient que se sentir interpellés par une conjoncture internationale marquée par la chute de l'impérialisme européen[31]. Cependant, même si les partipristes s'entendaient sur les vertus thérapeutiques et sur l'absolue nécessité d'une rupture véhémente avec l'autre anglo-canadien, le recours à la violence n'était pas vu par tous les membres comme un passage nécessaire. La position de *Parti pris* au sujet de la violence changeait selon les humeurs de ses principaux collaborateurs. Alors que certains endossaient la position sartrienne de Aquin voulant qu'il n'y ait pas « de raccourci possible pour passer de l'infériorité, ressentie collectivement, à la collaboration d'égal à égal », d'autres jugeaient qu'il était tactiquement imprudent et inopportun de recourir à la force pour éveiller les francophones face à leur propre condition[32]. En général, la propagande, la conscientisation, la contestation juridique, la résistance clandestine et même le parlementarisme étaient présentés comme les moyens les plus appropriés pour manifester sa dissidence, alors que la lutte armée semblait plutôt être

---

31. L'influence de penseurs comme Albert Memmi et Frantz Fanon sur les partipristes et les autres intellectuels anticolonialistes québécois a été maintes fois soulignée. Je n'ai donc pas besoin de m'y appesantir. Voir Frantz Fanon, *op. cit.*; Albert Memmi, *Portrait du colonisé précédé de Portrait du colonisateur*, Paris, Gallimard, 1985; ainsi que les importantes préfaces à ces deux livres écrites par Jean-Paul Sartre.

32. « Comme telle, la violence destinée soit aux fins du renversement de l'État, soit encore à celles de la mobilisation n'a jamais été récusée par la revue. Si en général elle en a refusé le recours c'est qu'elle jugeait inopportun au point de vue tactique, de le faire. » (André-J. Bélanger, *op. cit.*, p. 179; voir aussi p. 191.)

perçue comme un recours ultime. Malgré la filiation entre *Parti pris* et le Front de libération du Québec, l'idéologie felquiste était en fait une radicalisation des thèses formulées par les membres de la revue.

Pour ces derniers, l'exploration de la psyché collective des Québécois, envisagée en quelque sorte comme l'expiation des préjudices subis au fil des ans, demeurait le moyen privilégié pour parvenir à un *nous* québécois authentique, mature et libéré du joug subtil de l'autre anglo-canadien. Convaincu que le colonialisme est une «hydre à mille têtes» (Fanon), les partipristes s'affairaient prioritairement à divulguer les multiples manifestations du phénomène colonial au Québec. Par exemple, Gérald Godin s'échinait à dévoiler le caractère polymorphe de la domination canadienne dans ses *chroniques du colonialisme quotidien*. «Au risque même de passer pour fou, épiloguait le politicien-poète, il faut être obsédé par le souci de débusquer le colonialisme partout où il se trouve[33].» Dans ce contexte, le rôle de l'intellectuel anticolonialiste québécois est de «démasquer, de décrypter l'hallucination coloniale quotidienne[34]».

La dénonciation du caractère colonial du système fédéral canadien n'était pas exclusivement l'apanage des partipristes. André D'Allemagne, membre fondateur du Rassemblement pour l'indépendance nationale (RIN), considérait lui aussi que la confédération de 1867, la lente et spasmodique modernisation du Québec dans la première moitié du XXe siècle et la Révolution tranquille n'avaient rien changé au fait que le peuple québécois demeurait foncièrement colonisé et aliéné. Loin d'être un

---

33. Gérald Godin, «La folie bilinguale», *Parti pris*, volume 3, numéro 10, mai 1966, p. 57.
34. *Ibid.*, p. 56.

phénomène vétuste appartenant à la préhistoire du Québec, le colonialisme serait toujours au cœur des structures imaginaires, politiques et économiques de la société québécoise. La liberté politique acquise dans les années 60 ne serait en fait qu'un faux-semblant, qu'une lubie entretenue par des intellectuels et des personnalités politiques incapables de prendre conscience de leur propre aliénation. Au dire de D'Allemagne, ces élites seraient tout simplement flouées par le caractère plus insidieux et élusif du néo-colonialisme anglo-canadien.

Ce n'est pas sans raisons que les Québécois de l'époque ont été bernés par le néo-colonialisme canadien. C'est qu'ils étaient en fait des *colonisés de l'intérieur*. En effet, selon D'Allemagne, ce ne sont pas tant les mains que les consciences des francophones qui sont liées par la domination anglophone. Selon le cofondateur du RIN, «la simple occupation par la force a cédé la place à un conditionnement psychologique. Le peuple colonisé a perdu tout ressort. Son histoire s'est éteinte. Il existe désormais en marge du monde; sa pénible "survivance" n'est qu'un à-côté de la vie du colonisateur[35].» C'est «l'absence apparente du colonisateur» qui fait du système colonial canadien une structure de domination si perverse et efficace. L'analyse de D'Allemagne n'est pas à cet égard radicalement différente de celles des nationalistes mélancoliques étudiés jusqu'ici. On pouvait déjà trouver dans la narration historique des historiens néo-nationalistes de l'Université de Montréal une analyse des sévices corporels et psychologiques engendrés par le colonialisme. Toutefois, en 1966, au moment où l'affirmationnisme politique et économique était omniprésent dans le discours social

---

35. André D'Allemagne, *Le colonialisme au Québec*, Montréal, Les éditions R-B, 1966, p. 14.

du Québec, il était plus difficile de soutenir l'argument que la société québécoise demeurait une colonie exploitée économiquement et politiquement par la majorité anglo-canadienne. C'est pourquoi des gens comme D'Allemagne reprenaient le diagnostic de Frégault voulant que la Conquête ait signifié «l'arrêt de mort» de la société canadienne-française, tout en mettant davantage l'accent sur les conséquences psychologiques de la déconvenue historique des francophones. S'appuyant lourdement dans sa psychologie politique sur les thèses des auteurs intellectuels anticolonialistes africains, D'Allemagne arguait que «le Québécois est soumis dès son enfance et tout au long de son existence à un conditionnement qui provoque chez lui, à quelques variantes près, tous les réflexes typiques des colonisés à travers le monde actuel[36]».

Ce sentiment d'infériorité s'incrustant toujours plus solidement dans la psyché des Québécois, la société québécoise vivrait dans un état de déliquescence perpétuelle et progressive. Le colonialisme canadien, selon D'Allemagne, serait conséquemment «un génocide qui n'en finit plus[37]». L'angoisse existentielle, la pusillanimité, le conservatisme, le repli sur soi et la xénophobie sont perçus par D'Allemagne comme les conséquences directes de la colonisation psychologique des Québécois. Seule la décolonisation et l'indépendance du Québec, principaux leitmotivs du RIN, pouvaient servir de catalyseurs à la libération des consciences individuelles des francophones.

---

36. *Ibid.*, p. 93.
37. *Ibid.*, p. 14.

Entre aliénation socio-économique et aliénation nationale : le nègre blanc d'Amérique

> *Une vie de nègre n'est pas une vie. Et tous les Québécois étaient (et sont) des nègres.*
>
> Pierre Vallières

La dénonciation de l'aliénation (entendue comme dépossession ou comme sentiment de « ne plus s'appartenir, [de] devenir étranger à soi-même[38] ») de l'être historique canadien-français est sans conteste ce qui unit dans une sorte de métarécit les différentes narrations interprétées jusqu'ici. Il a toutefois presque exclusivement été question d'aliénation *culturelle* ou *nationale*, c'est-à-dire de l'oppression subie par les francophones en vertu de leur statut de minorité linguistique et culturelle. Or les partipristes, pour ne nommer qu'eux, étaient aussi préoccupés par la subordination économique et la prolétarisation galopante de la société québécoise. Les francophones étaient victimes d'une aliénation à la fois nationale et économique[39]. À l'aliénation décrite par Groulx et ses successeurs s'ajoutait l'aliénation au sens marxiste du terme. Les Québécois, selon les intellectuels nationalistes anticolonialistes, étaient structurellement confinés à leurs identités de colonisés *et* de prolétaires. L'accès aux moyens de production culturelle et économique leur était refusé.

---

38. Gaston Miron, « Le mot juste », *op. cit.*, p. 237.
39. Dans un texte relativement méconnu, Charles Taylor établit la distinction entre ces deux types d'aliénation et soutient que les partipristes avaient tendance à imputer à l'aliénation nationale ce qui relevait en fait d'une aliénation socio-économique qui dépassait largement les frontières du Québec. Charles Taylor, « La Révolution futile ou les avatars de la pensée globale », *Cité libre*, XVIe année, numéro 69, août-septembre 1964, p. 10-22.

C'est pourquoi la révolution québécoise souhaitée et thématisée par les collaborateurs de *Parti pris* devait être nationale *et* socialiste. Les commentateurs ne s'entendent toutefois pas quant à la hiérarchie des valeurs établie par la revue. Par exemple, Andrée Fortin, dans sa minutieuse analyse des revues québécoises, considère que, pour *Parti pris*, «[n]ationalisme va de pair avec socialisme, révolution politique et culturelle avec révolution économique[40]». De façon un peu différente, Bélanger évoque la possibilité que les partipristes aient subordonné la révolution socialiste à la révolution nationale, cette dernière se présentant comme la condition rendant l'autre possible. D'ailleurs, selon Bélanger, les conditions sociales et le socialisme étaient fréquemment évoqués par les collaborateurs de la revue, mais largement sous-thématisés avant la venue tardive d'intellectuels formés en sciences sociales comme Bourque, Pichette, Pizarro et Racine. C'est dans les contributions de ceux-ci que «le Québec est vraiment situé comme région du développement capitaliste dans le continent nord-américain où effectivement le contrôle est détenu par des monopoles étasuniens[41]».

Peu importe laquelle de ces interprétations s'avère la plus conforme à la réalité, il ne fait aucun doute que la hiérarchie entre aliénation nationale et exploitation économique est renversée dans l'œuvre d'un intellectuel-activiste comme Pierre Vallières. Même si le caractère dual de l'aliénation québécoise demeurait présent chez l'auteur de *Nègres blancs d'Amérique,* ce dernier a toujours refusé d'asservir la lutte des classes à la libération nationale. D'où

---

40. Andrée Fortin, *Passage de la modernité. Les intellectuels québécois et leurs revues,* Sainte-Foy, Les Presses de l'Université Laval, 1993, p. 172.
41. André-J. Bélanger, *op. cit.,* p. 166.

par exemple sa dissension maintes fois affirmée à l'endroit d'un Parti québécois qu'il jugeait insuffisamment critique face aux diktats de l'économisme marchand occidental. La révolution socialiste ne pouvait être subordonnée à l'indépendance nationale puisque «l'impérialisme (américain) n'a que faire des drapeaux : un de plus, un de moins ne dérange en rien son système universel d'exploitation des ressources naturelles et du *cheap labour*[42]».

En comparaison avec les autres auteurs étudiés, le *soi* et l'*autre*, chez Vallières, changent de forme. On passe en effet de l'opposition entre Canadiens francophones et anglophones à l'opposition entre le prolétariat (québécois) et l'impérialisme économique américain. La libération nationale ne peut plus se penser dans les simples limites territoriales du Québec. On assiste aussi à une légère variation dans la description de la substance éthique du Québécois. Vallières dépeint d'abord les francophones comme une «main-d'œuvre à bon marché». Avec la parution de *Nègres blancs d'Amérique*, la figure du travailleur exploité prend place aux côtés de celle du dépressif et de l'aliéné (culturellement) dans les représentations iconographiques du Québec. Le francophone est toujours victime d'un puissant conditionnement psychologique qui rend illusoire le développement d'une identité authentique et autonome, mais la source d'où jaillit ce conditionnement n'est plus la domination historique des anglophones, c'est plutôt la condition ouvrière dans laquelle évoluent la majorité des francophones. Or, ce qu'il y a «d'inhumain», selon Vallières, dans l'enfance ouvrière des francophones, c'est

---

42. Pierre Vallières, *Nègres blancs d'Amérique*, Montréal, Typo, 1994, p. 97.

cette impuissance où se trouve placé l'enfant à résister aux conditionnements non seulement du système lui-même mais de toutes ces frustrations vécues autour de lui, frustrations engendrées par l'organisation capitaliste de la société et qui le contaminent avant même qu'il ait pu prendre conscience de leur existence[43].

La désaliénation des Québécois, en tant que «vaincus de naissance», passe donc par une guerre anticapitaliste, anti-impérialiste et anticolonialiste.

Cependant, même si Vallières donne une dimension marxiste et internationale à la structure dichotomique à la base du «nous» québécois, ce dernier demeure habité et transi par cette mélancolie revendiquée et reformulée par chaque nouvelle génération d'intellectuels québécois. Malgré une jeunesse intellectuelle passée sous le sceau de l'existentialisme et de la phénoménologie, au cours de laquelle Vallières s'esquinta à saisir «l'aptitude traditionnelle des Québécois à la résignation» dans ses multiples manifestations phénoménologiques et à fonder une théorie radicalement individualiste de la liberté, ce dernier n'a jamais cessé d'entendre le «long chant douloureux de notre aliénation[44]». «Comme tous les Québécois, j'étais, moi aussi, emprisonné dans le pays de l'hiver et de la grande noirceur», se rappelait d'ailleurs Vallières à ce sujet[45]. L'hiver, la noirceur, la nuit, l'obscurité sont aussi des figures métaphoriques qui ponctuent régulièrement la

---

43. *Ibid.*, p. 153.
44. *Ibid.*, p. 253. Sur son approche phénoménologico-existentialiste, voir ses premières contributions à la revue *Cité libre*.
45. *Ibid.*, p. 233. Il écrit aussi : «Le destin de la collectivité québécoise m'avait souvent paru être celui d'un peuple voué à la mort lente, ou à une médiocrité prolongée. Évidemment, je n'osais vraiment croire cela, mais inconsciemment cette vision du destin québécois me rongeait.» (p. 327.)

description de la condition québécoise offerte par Vallières. Ce caractère léthargique des Québécois, même s'il en comprend la source, fait parfois sombrer Vallières dans une profonde amertume face au peuple qu'il a voulu, avec d'autres, sortir de sa caverne. On peut entendre la colère qui gronde sous certaines remarques introductives à son recueil *La liberté en friche* : «"La fatigue culturelle du Canada-français", qui avait soulevé l'indignation de Hubert Aquin, n'en finit pas d'engendrer lâcheté et médiocrité. [...] La "révolution tranquille" n'a rien transformé en profondeur. [...] Comme les Canadiens français d'hier, les Québécois ont peur de la liberté[46].» À l'image de la majorité des paroliers de la mélancolie québécoise, Vallières entretient une relation «amour-déception» avec sa patrie ; une patrie source à la fois d'exaltation révolutionnaire et de profonde amertume.

Cette peur de la liberté, cette ambiguïté lâche et dange-reuse, ce caractère timoré de la psychologie québécoise, Vallières les appellera à son tour au banc des accusés[47]. Cette consternation devant la pusillanimité atavique des francophones est partagée par la plupart des écrivains mélancoliques. Déjà en 1953, Pierre Vadeboncœur obser-vait dans les pages de *Cité libre* que «vaincus, trop incer-tains de notre destinée, minorité, nous avons contracté le pli de ne pas aller au bout de notre volonté[48]». Comme les

---

46. Pierre Vallières, *La liberté en friche*, Montréal, Québec Amérique, 1979, p. 9, 14.
47. «Qu'il me suffise de souligner, une fois de plus, qu'un peuple aussi petit et vulnérable que le nôtre ne peut risquer ses énergies indéfiniment et sans dommages graves dans des combats ambi-gus.» (Pierre Vallières, «Préface 1979. Écrire debout», *Nègres blancs d'Amérique*, p. 39.)
48. Pierre Vadeboncœur, «Critique de notre psychologie de l'ac-tion», *Cité libre : une anthologie*, éditée par Yvan Lamonde en collaboration avec Gérard Pelletier, Québec, Stanké, 1991, p. 243.

autres, Vallières postule que seule une catharsis violente sera capable de secouer suffisamment cette collectivité endormie par des décennies d'aliénation. Cette secousse ne peut provenir, selon l'ancien felquiste, que d'une révolution populaire qui aurait les effets d'une «psychanalyse collective réussie[49]».

L'intériorisation du regard de l'autre : Dumont et l'enfance (perpétuelle) de la société québécoise

Le désir de faire subir au passé québécois un traitement psychanalytique ne s'est jamais démenti chez les intellectuels nationalistes. Les écrits et l'action politique du psychiatre-politicien Camil Laurin sont à ce titre exemplaires. Les conséquences de la Conquête n'étant toujours pas reconnues, assumées et sublimées, l'exploration de l'inconscient collectif québécois semble se présenter comme autant de prolégomènes au développement de l'autonomie et de la maturité du Québec. Fernand Dumont est sans conteste le penseur québécois qui a articulé avec le plus de subtilité, de nuance, de lucidité et de rigueur cette démarche herméneutique d'interprétation de nous-mêmes. Contemporain des auteurs étudiés ici, Dumont fut celui qui donna le plus de substance et de profondeur à cette entreprise de psychanalyse collective. Il a voulu puiser à même l'âme des Québécois les origines de leur «mal d'être» historique. Versé autant en histoire, philosophie et théologie que dans les différentes disciplines des sciences sociales, Dumont était le mieux outillé pour faire face à cette impossible tâche d'ausculter l'(in)-conscience collective du peuple québécois. C'est ainsi qu'il

---

49. *Ibid.*, p. 390.

a abordé et confronté dans son œuvre ce qu'il appelait la « modeste mais troublante tragédie » québécoise.

En parcourant l'œuvre dumontienne, il serait facile de réduire sa narration de l'identitaire québécois à une tentative achoppée de transposer les catégories de la psychanalyse à l'interprétation des sociétés et de l'histoire (ce qui, comme le rappelle avec justesse Serge Cantin, n'était pas directement l'intention de Dumont[50]). De plus, il serait tout aussi facile de prétendre que Dumont avait une vision statique, donc irrecevable, du devenir historique de la société québécoise. Cela ne serait pas lui rendre justice. En tant que sociologue, il tentait de repérer et d'isoler ce qui, dans les reconfigurations perpétuelles des structures de l'imaginaire québécois, se dégageait de certaines expériences collectives appartenant à « l'enfance » de la société québécoise. En d'autres termes, une partie du projet de Dumont consistait à déceler la récurrence dans le mouvement. À l'image de ses contemporains et de ses héritiers, Dumont pensait trouver la source de cette récurrence, nommée atavisme par les auteurs interrogés jusqu'ici, dans la genèse de la société québécoise.

Dans son analytique de la condition québécoise, Dumont partait du postulat, partagé par tous les penseurs mélancoliques, selon lequel l'identité québécoise était vacillante, mal en point, flirtant plus ou moins consciemment et intensément avec les conditions de sa perdition. D'où l'urgence et la nécessité, selon lui, de remonter

---

50. Serge Cantin, « Une herméneutique critique de la culture », *L'horizon de la culture. Hommage à Fernand Dumont*, Simon Langlois et Yves Martin (dir.), Sainte-Foy, Les Presses de l'Université Laval, 1995, p. 63. Dumont explicite son lien avec la psychanalyse dans son recueil *Le sort de la culture*, Montréal, l'Hexagone, 1987, p. 19, 240.

jusqu'aux sources du malaise : «[l]orsque s'effrite l'identité collective, ne faut-il pas se demander par quel processus elle s'était imposée autrefois, revenir à sa genèse, si l'on veut parvenir à une nouvelle conscience de soi[51]?» Investiguer la naissance et l'enfance de la société, donc, afin de rendre patents certains stades de son développement et d'alléger, ne serait-ce qu'un peu, le poids de son histoire. Dumont veut se tailler un accès et ouvrir une brèche dans la «couche profonde» du passé québécois et, ce faisant, recueillir les «sédiments» qui se sont déposés au fil des ans sur la conscience de soi des Québécois. Examiner ces alluvions laissées par l'histoire, qui structureraient encore au XXe siècle le devenir collectif de la nation canadienne-française, importait plus que toute autre chose pour Dumont[52].

Tout comme l'expérience vécue de la collectivité française en Amérique, cette trame psychique indicible et parallèle débute avec la formation de la collectivité. Épisode fondateur et décisif, l'origine est perçue par Dumont comme «le moment privilégié auquel se reporte la recherche de l'identité collective[53]». Or la naissance de la société canadienne-française, dans la narration historique dumontienne, prend la forme de «l'avortement», de «l'échec», de la «rupture» ou du «traumatisme». Dans le

---

51. Fernand Dumont, *Genèse de la société québécoise*, p. 13-14.
52. «Au cours des premières phases du développement d'une collectivité sont mis en forme des tendances et des empêchements qui, sans déclencher la suite selon les mécanismes d'une évolution fatale, demeurent des impératifs sous-jacents au flot toujours nouveau des événements. Comme si l'histoire se situait à deux niveaux, les sédiments de la phase de formation restant actifs sous les événements des périodes ultérieures. De sorte qu'en accédant à cette couche profonde de l'histoire on aurait la faculté de mieux appréhender la signification du présent.» (*Ibid.*, p. 331.)
53. *Ibid.*, p. 57.

fossé séparant l'utopie européenne d'une *Nouvelle*-France délestée des tares de l'ancienne et une colonisation faible et nettement insuffisante s'ouvre une plaie jamais vraiment cicatrisée. C'est ici que se situe d'après Dumont la naissance de la collectivité française en Amérique. Selon lui, « une rupture est très tôt intervenue dans la projection du rêve européen sur la Nouvelle-France. De sorte que l'*origine* nous apparaît moins comme un commencement que comme un avortement[54]. » Avant même la Conquête, la société canadienne-française fut brisée, blessée dans sa représentation de soi et du monde, privée de ses illusions et ambitions. C'est une société déjà traumatisée, réfugiée et blottie dans la ouate de l'utopie que l'Anglais en viendra à occuper. Ce « traumatisme de l'enfance » sera ensuite sans cesse colmaté par la projection dans un avenir utopique ou, pour reprendre les mots de Dumont, par « le travail compensatoire de l'imaginaire[55] ».

Même si elle n'est plus interprétée comme la rupture fondatrice, la Conquête n'en demeure pas moins, pour Dumont, une étape déterminante dans la mise en place d'une conscience de soi trouble, ambiguë et négative. D'une certaine façon, Dumont reprend en la transformant la lecture traumatique de la Conquête offerte par les Séguin, Brunet et Frégault. Même s'il croyait lui aussi que la longue et endémique sujétion économique et politique du Québec dérivait du changement d'Empire et de métropole, Dumont se disait « néanmoins enclin à reprocher aux historiens de l'école de Montréal d'avoir trop centré leur attention sur l'événement lui-même et d'avoir insuffisamment étudié sa portée sur la mémoire collective, sur le complexe d'infériorité qu'éprouvent toujours les

---

54. *Ibid.*, p. 55.
55. *Ibid.*, p. 57.

francophones de ce pays, résultat de leur longue sujétion et de l'intériorisation de l'image de soi que leur renvoyaient des adversaires[56]». C'est effectivement sur les effets sur la mémoire longue et sur la conscience de soi de l'échec originaire et de l'annexion que Dumont porte son attention dans son interprétation de la genèse de l'identité québécoise. Comme ses contemporains, Dumont soutient que l'intériorisation du regard paternaliste mais méprisant de l'autre se veut la conséquence la plus lourde et déterminante de la colonisation anglophone sur la représentation de soi des francophones. Ce serait à travers les yeux du conquérant que les francophones, sans trop le savoir, se seraient sans cesse observés, scrutés, interprétés et racontés. Conscience de soi et présence de l'autre en sont venues, selon Dumont, à se (con)fondre[57]. Le discours de la survivance, qui a dominé le champ des représentations collectives jusqu'aux années 60 et qui tressaille encore aujourd'hui dans la plume de certains auteurs, était édifié, selon Dumont, sur la base même de cette seconde nature qu'était devenu le regard de l'autre :

> Ce qu'il faut retenir de cette longue apologie de la survivance, c'est moins la protestation de soumission que l'appropriation lente et subtile de l'image que l'autre projette sur soi. À force de répéter les mêmes arguments pour persuader le conquérant de la pertinence pour lui de l'existence d'une société française, on finit par en faire ses propres raisons d'être[58].

---

56. Fernand Dumont, *Récit d'une émigration*, Montréal, Boréal, 1997, p. 143.
57. Fernand Dumont, *Genèse de la société québécoise*, p. 133. Il s'agit là de l'idée-force du petit livre de Jean Bouthillette *Le Canadien français et son double* cité précédemment.
58. *Ibid.*, p. 138.

Dans les moments névralgiques de leur existence, les Canadiens français, au dire de Dumont, se replieront sans cesse sur ce noyau dur qu'est le reflet projeté par l'autre et ce, afin non seulement de combattre l'ethnocide, mais aussi pour y puiser « la plus ferme représentation de leur identité[59] ». Dans la narration dumontienne, l'introjection et l'appropriation du regard avilissant de l'occupant agissent à titre de « tuf fondamental », c'est-à-dire à titre d'essence de l'identité canadienne-française et québécoise. Une essence qui, il faut le dire, est non pas métaphysique et atemporelle, mais résolument historique. Une essence solidement inscrite dans l'être québécois, qui repose sur la sédimentation du discours de l'autre sur soi, mais qui, puisqu'elle est construite historiquement, est sujette à se voir modifiée ou altérée. L'essence de l'identité québécoise, selon Dumont, est fondée sur la lente mais perpétuelle fossilisation d'un discours où le francophone est confiné à jouer le rôle du subordonné. Toutefois, par un travail archéologique patient et minutieux, il demeure possible de désencastrer des sédiments narratifs solidement ancrés dans la représentation de soi des Québécois. C'est pourquoi, si l'on veut taxer Dumont (comme certains autres paroliers mélancoliques) d'*essentialiste*, on doit aussi préciser qu'il s'agit d'une essentialisation historique et relationnelle, donc temporelle, qui n'est pas fondée sur une nature prétendument immuable et éternelle[60]. Je

---

59. *Ibid.*, p. 138.
60. Des auteurs mélancoliques comme Jean Bouthillette et Serge Cantin prennent bien soin de préciser qu'ils ne croient pas que l'identité québécoise soit prise dans une essence immuable et atemporelle. « Le mal-être canadien-français n'est pas de l'ordre de l'essence ou de l'en-soi, mais de la relation », épilogue Bouthillette à cet égard dans Jean Bouthillette et Serge Cantin, « Lettres sur le Québec », *op. cit.*, p. 32.

tenterai de montrer au chapitre 4 que s'il est peut-être impossible d'interpréter une condition identitaire sans recours ontologique, il est maintenant nécessaire d'échafauder des ontologies (historiques) pouvant inclure une multiplicité d'*authenticités* et, surtout, qui ne cherchent pas à se cloisonner et à s'embrigader dans des frontières hermétiques.

Pour revenir au récit dumontien, l'appropriation de l'image reflétée par l'autre est jugée responsable du *mépris* et de la *haine de soi* qui animeraient les francophones du Québec depuis leur origine. Le « prix » de la survivance, pour Dumont, réside dans l'atavique et congénital sentiment d'infériorité vécu et ressenti par chaque nouvelle génération de Québécoises et de Québécois[61]. Cette faible estime de soi serait l'une des « marques distinctives » du peuple canadien-français. Dumont concède facilement que, principalement dans les années 60, des auteurs québécois ont tenté d'exhiber et d'expliquer ce mépris autoréférentiel sur lequel était édifiée l'identité québécoise. C'est ainsi qu'il est arrivé à certains penseurs, écrit Dumont,

> de débusquer ce qu'on avait eu tant de mal à avouer au cours de notre histoire : le mépris à l'égard de nous-mêmes. Sans doute nous étions-nous approprié le regard que le conquérant jetait sur nous et qui oscillait entre la pitié pour nos retards et l'attendrissement pour nos allures folkloriques. [...] Le sentiment de l'infériorité étant l'une de nos marques distinctives, nous l'avions entretenu avec soin, comme une des façons de pratiquer la survivance. Sommes-nous guéris de ce mal[62]?

---

61. Fernand Dumont, *Genèse de la société québécoise*, p. 236.
62. Fernand Dumont, *Récit d'une émigration*, p. 129.

Selon Dumont, malgré la prise de conscience du caractère quasi hégémonique et régulateur du mépris de soi dans l'imaginaire social québécois, il n'est pas sûr – loin de là – que ce sentiment d'infériorité chronique a réellement quitté l'*ethos* des Québécois, que nous sommes *guéris* de ce mal historique. D'ailleurs, puisqu'un rapport ouvert et confiant avec la différence passe par une saine estime de soi, «la difficulté à affronter les autres cultures» émanerait, comme nous l'avons vu avec Miron, de cette conscience de soi négative[63].

Il ne faut pas chercher bien loin dans l'œuvre de Dumont pour réaliser que ce dernier, sans défendre la thèse voulant que la société ait été immobile et que seuls les décors de l'histoire aient changé, considère que nos «malaises» identitaires contemporains s'enracinent en fait dans des attitudes et façons d'être héritées du passé. «La genèse nous a laissé, écrit Dumont, un siècle après, des problèmes qui n'ont pas reçu encore de solutions, des réflexes qui ressemblent à des répétitions[64].» Au sujet de la vision dumontienne du Québec, Heinz Weinmann considère qu'il «s'agit foncièrement d'une vision mélancolique du monde, d'un Québec né avec la mort du Canada français, introjecté en lui, bâti sur les fondements branlants du Canada français[65]». Le diagnostic de Dumont est clair : malgré la Révolution tranquille et l'émergence de l'affirmationnisme québécois, la «situation de fond n'a guère changé». Puisque «notre colonisation mentale [et] notre exil dans des représentations qui ne sont pas vraiment les nôtres, n'ont pas cessé», la fuite en avant dans le

---

63. Fernand Dumont, *Genèse de la société québécoise*, p. 324.
64. *Ibid.*, p. 332.
65. Heinz Weinmann, «Le Québec : entre utopie et uchronie», *Liberté*, volume 36, numéro 2, avril 1994, p. 143.

travail compensatoire du rêve et de l'utopie nous caracté-
riserait toujours[66]. En tentant de se défaire des chaînes du
passé, les révolutionnaires tranquilles auraient renoué
avec les sources de leur assujettissement : «[j]e suis tenté
de penser que, en voulant nous libérer de nous-mêmes,
nous avons poursuivi en de nouvelles vicissitudes le vieux
chemin du colonialisme qui est le nôtre depuis les origines
de notre collectivité[67]. »

Cette persistante et inexorable colonisation mentale se
manifesterait, selon Dumont et la majorité des nationalistes mélancoliques, dans l'*ambiguïté* caractéristique du
peuple québécois. L'ambiguïté identitaire et politique des
Québécois est appréhendée sous le signe de l'anormalité,
de la tare congénitale, du problème à résoudre pour
accéder à une autre étape (la maturité) dans notre devenir
collectif. Dans le travail de Dumont, l'ambiguïté identitaire contemporaine doit être analysée à partir de la
structure paradoxale de la condition identitaire
canadienne-française du XIXe siècle, où la défense de la
spécificité française (survivance) *et* la revendication des
libertés politiques inhérentes au parlementarisme britannique (luttes constitutionnelles) se trouvaient au cœur de
l'identité canadienne-française. Cette contradiction, selon
Dumont, «ne sera jamais vraiment surmontée par la
suite[68] ».

Notre identité est donc, selon Dumont, «problématique», «confuse». À la suite d'une naissance qui prit la
forme d'un avortement, d'une conquête, d'une subordination multidimensionnelle, de la lente mais progressive

---

66. Fernand Dumont, *Le Sort de la culture*, p. 242.
67. Fernand Dumont, *Raisons communes*, Montréal, Boréal, 1995,
    p. 79.
68. *Ibid.*, p. 151.

assimilation du regard dégradant de l'autre, de la constitution d'une conscience de soi fondée sur des sédiments de
mépris et de honte, et d'une ambiguïté, voire d'une pusillanimité politique légendaire, l'identité québécoise
contemporaine ne pouvait être perçue par Dumont que
comme piétinante, atermoyante, agonisante et surtout
attristante. En parfaite contiguïté d'esprit avec ses contemporains et héritiers, Dumont croyait qu'une rupture et
qu'un recommencement politiques, s'incarnant dans
l'indépendance, pourrait être la source d'une mutation de
la représentation de soi de la nation canadienne-française.
Avec la souveraineté du Québec, certaines luttes issues de
la Conquête pourraient enfin «s'éteindre», écrivait
Dumont, tout en récusant la rhétorique globalisante d'un
certain discours indépendantiste[69]. Selon lui, l'indépendance pourrait potentiellement agir à titre de fondation
d'une nouvelle discursivité, d'un nouveau vocabulaire
identitaire et d'une nouvelle référence à laquelle pourraient se rapporter les Québécois dans la définition de leur
identité collective. C'est ainsi que l'on peut déceler à la fois
regrets et espoirs dans cette phrase de Dumont : «[i]l est
des peuples qui peuvent se reporter dans leur passé à
quelque grande action fondatrice : une révolution, une
déclaration d'indépendance, un virage éclatant qui entretient la certitude de leur grandeur. Dans la genèse de la
société québécoise, rien de pareil. Seulement une longue
résistance[70].»

Ce fétichisme de la fondation, comme je tenterai de le
démontrer plus loin, hante l'imaginaire de jeunes intellectuels, comme Daniel Jacques et Marc Chevrier, qui
cherchent toujours les conditions d'une «fondation

---

69. *Ibid.*, p. 27.
70. Fernand Dumont, *Genèse de la société québécoise*, p. 331.

réussie». En attendant, les auteurs nationalistes mélancoliques appellent et anticipent le jour où les Québécois joindront enfin le «courage de la liberté» à la «patience obstinée de jadis». Ainsi seulement l'histoire se remettra en marche et les Québécois sortiront de leur longue et désespérante «hibernation[71]».

DE CANTIN À LAROSE : VARIATIONS CONTEMPORAINES SUR LE THÈME DE LA FATIGUE CULTURELLE DES QUÉBÉCOIS

Comme je l'ai mentionné en introduction à ce chapitre, cette excursion dans le discours social nationalmélancolique n'est pas un pur exercice exégétique. En l'entreprenant, mon but était de montrer comment ce discours s'est imposé comme l'une des figures ou des représentations dominantes de l'identitaire québécois depuis les années 50. Des historiens de l'école de Montréal à Fernand Dumont, on a pu constater la prégnance et l'omniprésence d'une narration mélancolique aux accents parfois maussades, parfois résolument vindicatifs. Entre les travaux des historiens néo-nationalistes et ceux de Dumont, plus de quatre décennies se sont écoulées. Est-ce suffisant pour postuler la persistance, la pérennité de cette narration mélancolique de l'identité québécoise? Probablement pas. Pour affirmer une telle chose, des narrateurs contemporains doivent être interpellés, interrogés au sujet de leur filiation avec les auteurs étudiés jusqu'ici. Certes, jusqu'à tout récemment, c'est Dumont qui a donné à ce grand récit collectif ses formes les plus subtiles et étoffées. Celui-ci appartenait cependant à la génération d'intel-

---

71. *Ibid.*, p. 336.

lectuels qui a participé activement à la transformation de la société québécoise. Dumont fut à la fois acteur et spectateur de la reconfiguration sociale et identitaire du Québec contemporain ; il a assisté au passage de l'ombre à la lumière, pour reprendre des images maintenant consacrées (pour des raisons liées à la représentation de soi plus qu'à l'histoire). Bref, Dumont ne peut être invoqué pour démontrer la transmission et la perpétuation du discours nationaliste et mélancolique d'une génération à l'autre. Jusqu'à tout récemment, il a accompagné, voire surplombé, ses héritiers intellectuels. Pour démontrer de façon indéniable la persistance de ce récit, je dois donc montrer sa récupération et sa traduction dans l'œuvre des épigones, dans le sens noble du terme, de Dumont et des autres. Une fois la pérennité et le caractère structurant de ce discours démontrés, je pourrai m'aventurer, fidèle en cela à l'ontologie critique du présent abordée en introduction, à proposer de nouvelles figures de nous-mêmes.

Le Québec vu par Serge Cantin, Louis Cornellier, Laurent-Michel Vacher et Christian Dufour

Le philosophe Serge Cantin est l'un de ceux qui se réclame le plus ouvertement d'une filiation directe avec Fernand Dumont. C'est dans un recueil d'articles au titre hautement révélateur que Cantin explore ce qu'il nomme « l'atavique fatigue » des Québécois. En effet, dans *Ce pays comme un enfant*, le philosophe reprend les préoccupations et catégories heuristiques développées par les néonationalistes en les adaptant aux problèmes et tourments de la société québécoise d'aujourd'hui. C'est ainsi que la fatigue culturelle, le difficile accès à la maturité, l'aliénation, la stagnation, l'ambiguïté, la volonté anémique du peuple québécois sont à nouveau décrits comme le «noyau dur» de la condition identitaire québécoise. Cantin, comme ses prédécesseurs, veut psychanalyser la conscience malheureuse des Québécois. L'existence d'un inconscient collectif est d'ailleurs explicitement postulée par celui-ci[72]. La souche de l'inconscient collectif québécois s'est formée, selon Cantin, à partir des écueils, des «défaites et [des] attentes désespérantes» qui ont ponctué l'histoire du Québec depuis ses débuts. Les peuples, considère le philosophe, ont des «vies intérieures» qui structurent inconsciemment leur façon d'être-au-monde[73]. Fondée sur une mémoire collective mal assumée, la vie intérieure d'un peuple est un «type de causalité» qui oriente le caractère et dirige la conscience du peuple en question. C'est ainsi que le Québec serait toujours affligé par ses «maux héréditaires», comme par exemple la «honte de soi» que dénote Cantin à travers les lignes écrites par les intellectuels québécois contemporains[74]. «L'aliénation native[75]» du peuple n'aurait jamais été surmontée. En bref, la dignité des Québécois serait bien enfouie sous le sol des plaines d'Abraham, symbole à la fois de l'abandon par la mère patrie et de l'annexion au nouvel empire.

Dans la narration mélancolique de Cantin, le Québec n'est donc «pas encore sorti du bois». Les textes de Cantin sur le Québec, et principalement son émouvante et déprimante correspondance avec Jean Bouthillette, s'apparentent souvent à des *chroniques d'une mort annoncée*. Avec chaque «drame collectif» vécu par le peuple québé-

---

72. Serge Cantin, *Ce pays comme un enfant. Essais sur le Québec (1988-1996)*, Montréal, l'Hexagone, 1997, p. 41.
73. *Ibid.*, p. 73.
74. Serge Cantin, «Pour sortir de la survivance», *Le Devoir*, 14-15 août 1999, p. A 9.
75. Serge Cantin, *Ce pays comme un enfant*, p. 131.

cois se liquéfie un peu plus cette grande lassitude culturelle qui conduira lentement le Québec, selon Cantin, à sa disparition. La subjectivité, c'est-à-dire la façon d'être-au-monde du Québécois, s'incarne toujours aujourd'hui dans la survivance. Le rôle de l'intellectuel, dans ce contexte, est de couver, encadrer, diriger et d'admonester au besoin cet enfant un peu attardé qu'est le Québec[76]. Ontologiquement fragile et insécure, le Québec doit être porté, comme un enfant, aux portes de la maturité. Le Québec, laissé à lui-même, a de la « difficulté à devenir adulte, à se prendre en charge[77] ». Fidèle à ses prédécesseurs, Cantin suggère deux façons pour favoriser le passage du Québec vers la « maîtrise de soi ». D'une part, il presse ses compatriotes de se réapproprier leur langue et leur mémoire. Et puisque les compatriotes en question sont des « enfants », c'est logiquement par une vaste « pédagogie collective » que ce processus de réappropriation et d'acceptation doit s'effectuer[78]. En effet, le déni du passé caractéristique des Québécois procéderait de « ce que Freud appelait la "compulsion de répétition", une mémoire hantée par le souvenir de nos défaites et de nos humiliations passées[79] ». Ce déni du passé prendrait d'ailleurs la forme du refus des francophones de se reconnaître comme proprement colonisés. Cette négation obstinée témoigne, selon Cantin, d'une colonisation mentale plus grave et sédimentée que l'occupation physique : «[l]e fait pour le colonisé de ne pas

---

76. Jocelyn Létourneau, dans son texte «"Impenser" le Québec et toujours l'aimer » propose une étude plus étoffée du rôle de l'intellectuel nationaliste appartenant à une petite nation. Je reviendrai plus loin sur ce texte.
77. Serge Cantin, *Ce pays comme un enfant*, p. 128. Ce dernier réitère ses idées dans sa correspondance avec Jean Bouthillette.
78. Serge Cantin, « Pour sortir de la survivance », p. A 9.
79. *Ibid.*

pouvoir se reconnaître comme colonisé n'est-il pas l'indice d'une colonisation plus subtile, plus insidieuse, plus profonde aussi peut-être et partant plus indéracinable que celle qu'ont eu à subir, par exemple, les Algériens ou les Vietnamiens[80]?» L'hypothèse de la fausse conscience historique des Québécois, sans être explicitement nommée, est érigée en postulat. En corollaire, c'est seulement en assumant et en s'appropriant un passé douloureux que le Québec de Cantin pourra mettre un terme à «la répétition inconsciente de son passé[81]». Comme les intellectuels néo-nationalistes avec qui il se solidarise, Cantin mise sur «l'avenir de la mémoire, sur la possibilité de faire jaillir du passé d'autres significations, jusque-là oubliées, refoulées ou censurées[82]». La libération passe nécessairement, selon lui, par l'anamnèse.

D'autre part, la société québécoise devra quitter le fardeau de sa «double identité» pour cesser de trébucher sur le seuil de l'autonomie et de la maturité. Une fois de plus, l'ambiguïté, la dualité du sujet politique québécois sont jugées responsables de sa stagnation présumée. L'indépendance politique est encore une fois associée à l'âge adulte. Cantin fait sienne la phrase de Dumont voulant que seul «un grand projet politique» soit en mesure de «réconcilier» une communauté nationale divisée et fragmentée[83].

De façon plus virulente, l'intellectuel et critique Louis Cornellier, se réclamant lui aussi de l'héritage dumontien, aborde un peu les mêmes thèmes que Cantin. Selon

---

80. Serge Cantin, «Lettres sur le Québec», p. 43. Bouthillette abonde dans le même sens à la page 33.
81. Serge Cantin, *Ce pays comme un enfant*, p. 131.
82. Serge Cantin, «Pour sortir de la survivance».
83. Fernand Dumont, *Genèse de la société québécoise*, p. 335.

l'essayiste à la plume acérée, «les Québécois souffrent d'aliénation culturelle aiguë. En d'autres termes, nous sommes une belle gang de colonisés[84].» Cette aliénation culturelle serait si pernicieuse qu'elle est pratiquement invisible et impalpable. Par conséquent, «la tragédie du colonisé, argue Cornellier, c'est que plus son état s'aggrave, plus les sursauts de conscience lui font défaut[85]». La «colonisation douce», pour reprendre l'expression de Cornellier, possède comme corollaire la tragique «indifférence de ses victimes[86]». Au crépuscule des années 60, le Québec, dans la narration historique de Cornellier, était sur le point de franchir le seuil de la *normalité*. Selon le critique et professeur de littérature, le processus d'autonomisation du Québec, qu'il associe à l'entreprise de décolonisation des années 60 et 70, fut court-circuité par un impérialisme culturel anglo-américain aux modes d'assujettissement subtils et éclatés. Réarticulant un peu à la façon de Vallières les frontières du «dedans» et du «dehors» de la culture québécoise, Cornellier soutient que

> nous sommes encore colonisés, mais d'une façon différente et plus insidieuse, car ce n'est plus seulement le fédéralisme canadien en tant que tel qui se pose en obstacle à notre affranchissement, mais bien plutôt une tendance mondiale [...] qui érige le flou identitaire en idéal pour rendre la vie plus facile au rouleau compresseur de l'impérialisme de l'anglo-culture internationale dont les stratégies sont multiples[87].

---

84. Louis Cornellier, *Plaidoyer pour l'idéologie tabarnaco*, Montréal, Balzac-Le Griot, 1997, p. 11.
85. Louis Cornellier, «Des universitaires sur la planète Hollywood», *Le Devoir*, 12 août 1998, p. A 6.
86. Louis Cornellier, «Contre la colonisation douce», *L'Action nationale*, volume LXXXVIII, numéro 7, septembre 1998, p. 70.
87. Louis Cornellier, *Plaidoyer pour l'idéologie tabarnaco*, p. 85.

Encore une fois, le rôle de l'intellectuel québécois consiste donc à provoquer ces sursauts de conscience qui font cruellement défaut aux Québécois. Il revient à l'intellectuel « d'allumer les lumières », de sortir le Québécois de sa caverne, dont il ne perçoit même plus l'obscurité[88].

C'est peut-être dans un bref et vitriolique pamphlet de Laurent-Michel Vacher que se cristallise le mieux le lien, la dynamique entre les thèmes (récurrents) abordés par les auteurs nationalistes et mélancoliques : refoulement d'un passé douloureux, amnésie collective, condamnation de l'ambiguïté identitaire, difficile passage vers la maturité, nécessité de l'indépendance pour faire passer les traumas refoulés du *ça* au *moi*, etc. Selon le professeur de philosophie, la matrice idéologique de l'indépendantisme québécois, dans sa forme originaire et la plus pure, était fondée sur

> [u]n diagnostic courageux (d'autres diront pessimiste) des maux du Québec entraînés par la défaite, la dépendance et la soumission : introjection de la figure de l'autre, complexe collectif d'infériorité, identité brouillée et incertaine, retard culturel relatif, malaise linguistique profond, exclusion des activités et des centres de décisions économiques modernes, soumission excessive à l'autorité et à la tradition, etc.[89].

---

88. Il est toutefois difficile de savoir si ce bref synopsis correspond toujours à l'interprétation de l'identité québécoise de Cornellier. En effet, dans des critiques de mon article cité précédemment (« Authenticités québécoises. Le Québec et la fragmentation contemporaine de l'identité ») et d'un texte de Jocelyn Létourneau (« Pour une révolution de la mémoire collective ») publié dans *Argument*, Cornellier semble plus disposé à reconnaître le caractère non pathologique des identités plurielles et ambivalentes. (Louis Cornellier, « Identité et authenticité », *Le Devoir*, 6-7 mars 1999 ; et « Des penseurs en revues », *Le Devoir*, 31 décembre 1998, p. D 6.)
89. Laurent-Michel Vacher, *Un Canabec libre. L'illusion souverainiste*, Montréal, Liber, 1991.

En toute proximité d'esprit avec les intellectuels appelés à témoigner jusqu'ici, Vacher soutient que « pour tout peuple qui a un jour été vaincu et dominé, l'accession à l'indépendance apparaît comme une étape rédemptrice de son histoire. Au-delà de ses manifestations institutionnelles et politiques, *il s'agit fondamentalement d'une sorte de psychodrame libérateur, catharsis de renaissance et de purification de l'inconscient collectif*[90]. » Vacher se situe donc lui aussi sur le terrain d'une « psychanalyse historique » du peuple québécois.

Puisque la pertinence et la légitimité de la libération du Québec sont fondées, selon Vacher, sur le désir d'en finir avec le mal d'être que le peuple québécois ressent dans son « âme » et dans son « identité », l'indépendance doit s'incarner dans une rupture violente, cathartique et rédemptrice d'un passé trop lourd à supporter. L'indépendance doit être un acte clair et tapageur d'affirmation de soi. C'est à travers ce filtre que Vacher condamne le projet souverainiste-associationniste promu par Lévesque et ses disciples (et toujours en vigueur aujourd'hui). Un projet de souveraineté-association (ou partenariat) alambiqué et timoré ne fera que fortifier, selon Vacher, « l'intériorisation de l'ambiguïté » qui afflige le peuple québécois depuis sa naissance. Dans sa variante associationniste, le projet souverainiste serait un faux-semblant plutôt qu'un exutoire, perdant ainsi sa portée « d'électrochoc psycho-historique[91] ». C'est pourquoi le projet de souveraineté-association est associé par le philosophe à une « variante

90. *Ibid.*, p. 13 (c'est moi qui souligne). En d'autres termes, l'indépendance est vue comme le moyen d'une « reconquête symbolique de la fierté nationale, d'une conversion du néant à l'être sur la scène de la subjectivité historique ». (p. 14.)
91. *Ibid.*, p. 15.

schizoïde d'autonomisme néo-fédéraliste déguisé en nationalisme de salon», un «leurre confortable», une «tergiversation peu reluisante» et une «demi-mesure bâtarde»[92]. Ceux qui croient en la «nécessité historique» de l'indépendance tout en appuyant le projet de souveraineté-association sont, selon Vacher, en pleine contradiction performative.

Vacher croit lui aussi que les Québécois ont recours au travail compensatoire de l'imaginaire pour nier ou occulter une réalité insupportable. Amnésiques, négationnistes de l'échec référendaire, les souverainistes se raccrocheraient maintenant au fantasme que le Québec serait d'ores et déjà un pays, que «le peuple québécois serait "virtuellement" souverain, la catharsis de l'affirmation nationale étant pour l'essentiel derrière nous[93]». Cette foi envers le caractère achevé de la «libération» du Québec témoigne, selon le philosophe, d'une «fausse conscience névrotique», elle-même issue d'une «structure psychique intérieurement indécise, ambivalente et scindée, résultant de la domination ancestrale [...]» Il est donc encore une fois tenu pour acquis que les Québécois, et plus particulièrement les souverainistes, ne sont que des pantins manipulés par leur inconscient. L'Histoire tire une fois de plus les ficelles de l'être québécois.

Il doit maintenant paraître évident que l'hypothèse du refoulement collectif d'un passé trop difficile à supporter a séduit la majorité des intellectuels nationalistes et mélancoliques des 40 dernières années. Plutôt que d'avoir les yeux ouverts mais humides, les Québécois préféreraient les avoir fermés mais bien au sec[94]. Ils auraient

---

92. *Ibid.*, p. 16-17.
93. *Ibid.*, p. 23-24.
94. «J'aurai toujours les yeux pleins d'eau, mais j'les aurai toujours ouverts», chante Paul Piché dans l'une de ses chansons qui n'a

toujours recours au refoulement et à la dénégation pour calmer leurs intenses tourments mnémoniques. Bien que difficilement démontrable, cette hypothèse de l'inconscient collectif a l'avantage d'indiquer la source de la « crise de la mémoire » et, en plus, d'offrir une explication à ce que l'on appelle la pusillanimité, l'ambiguïté, l'indécision congénitales des Québécois francophones. C'est dans cette perspective que s'inscrit également le travail du politologue Christian Dufour. Considérant lui aussi l'état de déréliction issu de l'abandon par la mère patrie et de la Conquête comme un traumatisme refoulé, Dufour suggère que l'agir politique des francophones du Québec est resté à jamais marqué par les séquelles de ce séisme originel. Évacués par la porte d'en avant, les stigmates du passé infiltrent la conscience collective des Québécois par la porte d'en arrière : « les Québécois restent encore très affectés par les séquelles de l'abandon/conquête qu'ils ont subi au XVIIIe siècle, et qui demeure refoulé dans leur inconscient collectif[95]. » L'abandon/conquête n'aurait donc jamais été pleuré, accepté ni transcendé et, en conséquence, l'éternel retour de ce mal originaire constituerait l'essence de l'identité québécoise (et canadienne) contemporaine. Malgré l'apparente rupture de la Révolution tranquille, l'identité des Québécois d'aujourd'hui, tout comme celle des Canadiens français d'autrefois, demeure

---

rien à voir avec la question nationale et qui ne semble pas s'inscrire dans le discours étudié ici.

95. Christian Dufour, *Le défi québécois*, Montréal, l'Hexagone, 1989, p. 14. Voir aussi p. 37. Sur les effets de la Conquête, Dufour réitère ses positions dans son livre *La rupture tranquille*, Montréal, Boréal, 1992, p. 21-29. Pour une critique efficace et détaillée de l'interprétation de Dufour, voir Dimitrios Karmis, « Interpréter l'identité québécoise », *Québec : État et Société*, Alain-G. Gagnon (dir.), Montréal, Québec Amérique, 1994, p. 307-309.

surdéterminée par un traumatisme refoulé. Canadiens, Canadiens français, Québécois partageraient sans trop le savoir une condition identitaire méta-historique : «[l]ors-qu'ils versent une larme sur le sort de leurs ancêtres, écrit Dufour, les Québécois pleurent un peu sans le savoir sur eux-mêmes[96].» Un passé, donc, qui structure et façonne le présent dans le dos ou à l'insu des Québécois contemporains. Comme le note avec justesse Dimitrios Karmis, on peut voir l'hypothèse de la fausse conscience se profiler derrière les lignes un peu tristes et chagrinées écrites par Dufour[97].

Usant des concepts de la psychologie pour l'analyse de la collectivité québécoise, Dufour affirme que de ce mal originaire (l'abandon/conquête) aurait émané une condition identitaire à peu près équivalente à « une névrose chez un individu, qui lui ferait désirer, intensément et en même temps, des choses incompatibles[98] ». Cette névrose identitaire serait à l'origine de l'incapacité chronique des Québécois à rompre fermement les liens avec l'ancien conquérant et à abandonner définitivement le rêve de l'indépendance ; une névrose donc à l'origine de l'ambiguïté politique sans cesse morigénée par les intellectuels nationalistes mélancoliques. Il faut en conséquence procéder à l'exorcisme des « démons qui hantent le Québec depuis plus de deux siècles et hypothèquent son avenir, quel qu'il soit[99] ». Dufour se démarque toutefois des intellectuels étudiés ici

---

96. Christian Dufour, *Le défi québécois*, p. 87.
97. Dimitrios Karmis, «Interpréter l'identité québécoise», p. 309. D'ailleurs, Dufour utilise lui aussi, comme Dumont et Cantin, la métaphore de l'enfant pour décrire la condition québécoise. Voir *Le défi québécois*, p. 61.
98. *Ibid.*, p. 15.
99. *Ibid.*, p. 165.

en n'envisageant pas la souveraineté comme la rupture cathartique absolument nécessaire à l'évacuation du refoulé. Pour lui, la nécessité de la souveraineté semble être plutôt dérivée de l'incapacité historique du Québec et du Canada à se reconnaître mutuellement et à édifier un système équitable de souveraineté partagée. L'ambiguïté politique des francophones du Québec est certes vue comme une séquelle du traumatisme originaire de 1760, mais pas comme une tare consubstantielle qui retarde et entrave l'épanouissement du Québec.

Jean Larose et le malaise dans la culture québécoise

Dans un registre un peu différent, Jean Larose anime depuis déjà plus d'une décennie un débat sur l'indigence culturelle de la société québécoise. Chargée de tensions, la contribution de Larose se démarque par sa plurivocité de celles des narrateurs interpellés jusqu'ici. En effet, Larose peut être lu comme l'un des fossoyeurs de la recherche d'une authenticité perdue entreprise par les auteurs mélancoliques. Larose s'en prend à toute tentative de réifier, de chosifier l'identité québécoise : « Québécois est le nom d'un mouvement, non celui d'un état, ou d'un être [...] Et dire "spécifiquement québécois", c'est stopper le mouvement, le figer, et le fixer sur son image dans le miroir, à un instant donné[100]. » L'identité est vue chez lui comme un processus, un projet narratif polyphonique et en instance de reformulation constante. C'est d'ailleurs la position que j'adopterai dans mon quatrième chapitre. Le problème avec le concept « d'identité », considère pertinemment Larose, réside dans sa référence directe à

---

100. Jean Larose, *La petite noirceur*, Montréal, Boréal, 1987, p. 176.

l'*identique*, à la *mêmeté*. Or le théoricien de la littérature argue «qu'il n'y a pas d'identité moderne sans mouvement et sans éclatement[101]». L'identité doit être interprétée comme une «éternelle mise en jeu». C'est pourquoi Larose s'en prend, avec raison il me semble, au discours nationaliste québécois qui s'applique à circonscrire, à délimiter et, potentiellement, à fermer les frontières de l'authenticité québécoise. «L'identité du "Québec", selon Larose, doit par-dessus tout craindre de se laisser charmer par son propre reflet au miroir de l'identique[102].»

Toutefois, la critique de Larose à l'endroit d'un certain discours nationaliste s'arrête à la problématisation de cette recherche d'une authenticité perdue et de cette réalisation de soi-même envisagée sous le prisme de l'«unification de l'être, unité retrouvée, retrouvailles, *retour de soi en soi*[103]». Le littéraire ne remet pas en question l'interprétation résolument mélancolique et dépressive de l'identitaire québécois articulée par les intellectuels nationalistes. Au contraire, il semble la reprendre en lui donnant même un nouveau souffle. C'est ainsi que le Québec, vivant des années de «petite noirceur», est considéré par Larose comme «une société culturellement aliénée[104]». De la *grande* à la *petite* noirceur, c'est évidemment la conscience de l'obscurité qui a été perdue. Dans ce clair-obscur qu'est le Québec, c'est la lucidité, les sursauts de conscience qui sont tragiquement absents. L'aliénation tamisée du Québec serait presque devenue imperceptible. L'écriture

---

101. Jean Larose, «Entretien», dans Marcos Ancelovici et Francis Dupuis-Déri, *L'archipel identitaire. Recueil d'entretiens sur l'identité culturelle*, Montréal, Boréal, 1997, p. 71-72.

102. Jean Larose, *La souveraineté rampante*, Montréal, Boréal, 1994, p. 62.

103. Jean Larose, *La petite noirceur*, p. 49.

104. *Ibid.*, p. 24.

de Larose transpire la fausse conscience des Québécois. Plusieurs traits culturels du Québec contemporain portent l'empreinte, selon Larose, de « notre histoire de colonisés » ou de notre « vieux complexe d'infériorité canadien français »[105].

Comme tous les auteurs qui ont été interpellés à ce point, Larose est convaincu de la persistance de la grande torpeur historique du Québec. Recourant lui aussi à la figure pathologique du névrosé pour décrire la condition identitaire du Québec contemporain, Larose propose que « notre fatigue collective ressemble à la fatigue rampante, insidieuse, ankylosante de certains névrosés[106] ». Or Larose suggère lui aussi que la souveraineté politique est la voie d'accès à la revitalisation et la régénération de la culture québécoise. Le Québec, dont l'identité « n'est pas encore réalisée », doit emprunter le chemin de l'indépendance pour entrer dans « l'histoire »[107]. C'est parce qu'elle n'est pas souveraine, considère Larose, « que la culture québécoise ne débouche pas pour l'instant sur l'universel[108] ». L'indépendance est perçue comme la voie d'accès à la maturité, à l'universel et à la « souveraineté de la pensée ». La pensée de Larose rompt donc avec le discours nationaliste québécois pour mieux s'y insérer. Malgré sa sincère détermination à penser l'identité comme un espace discursif évolutif et dissensuel, Larose ne nous explique pas comment sa narration mélancolique d'un Québec fatigué, névrotique, mineur (au sens d'immature) et culturellement aliéné contourne l'essentialisation (historique plutôt que métaphysique) et la fixation de l'identité

---

105. *Ibid.*, p. 165.
106. Jean Larose, *La souveraineté rampante*, p. 13.
107. *Ibid.*, p. 60.
108. Jean Larose, « Entretien », p. 71.

québécoise dans une image d'elle-même statique et éculée. Si, comme le croit Larose, «[l]'existence québécoise souffre d'une véritable disette de symbolique[109]», il faudrait peut-être se demander si cette mise en récit tragique de l'identitaire québécois n'y est pas pour quelque chose[110].

Jean Larose n'est pas le seul à déceler ce malaise dans la culture québécoise. À l'heure du triomphalisme naïf des uns, basé principalement sur le succès international de certains artistes, athlètes et entrepreneurs québécois, le discours sur la «pauvreté» ou le «retard» culturel québécois demeure tout de même ambiant. On se rappellera par exemple le tollé qu'a suscité Hélène Jutras qui, par la publication de ses considérations intempestives sur la prétendue médiocrité culturelle des Québécois, avait jeté un pavé dans la mare de l'intelligentsia québécoise. De l'approbation triste et résignée à la réprimande injurieuse, les lettres de Jutras avaient suscité des réactions de toutes sortes ainsi qu'un débat d'une rare intensité. En guise de rappel, Jutras ne faisait que reprendre, sans grande subtilité, les thèmes ressassés depuis le début de ce chapitre. La jeune étudiante considérait par exemple que «le Québec est en train de mourir, parce que les gens s'abrutissent peu à peu[111]». Honteuse d'un peuple qui se préparait «à se refuser» une seconde fois dans l'espace de 15 ans, elle affirmait vouloir quitter ce «ghetto provincial dont les

---

109. Jean Larose, *La petite noirceur*, p. 11.
110. Cette mélancolie semble d'ailleurs se sédimenter un peu plus chaque année dans la prose de Larose. On peut se référer par exemple aux chroniques qu'il a publiées dans *Le Devoir* en 1999-2000 et que l'on peut retrouver au www.magi.polymtl.ca/bourdeau/jlarose/
111. Hélène Jutras, *Le Québec me tue*, Montréal, Les Éditions des Intouchables, 1995, p. 19.

murs s'élèvent aussi haut que la bêtise humaine[112]». L'indépendance, associée ici aussi à «l'âge adulte du Québec», étant devenue un horizon utopique (en raison du complexe d'infériorité bien inscrit au cœur de l'être québécois), l'exil, la fuite devenait l'unique recours s'offrant à l'étudiante dépitée.

Or, même si le calme est revenu et les lettres de Jutras somme toute oubliées, le discours sur la «médiocrité culturelle» et la «dérive identitaire» de la nation québécoise, régulier comme une horloge, continue à battre au pouls du Québec. Yvon Montoya et Pierre Thibeault, auteurs d'un recueil d'entretiens sur l'état de la culture québécoise contemporaine, considèrent d'ailleurs que le diagnostic posé par Jutras est toujours valide aujourd'hui[113]. Partant de la féconde intuition voulant que l'hypothèse de l'existence d'un inconscient collectif soit à l'origine d'une représentation biaisée de nous-mêmes, les deux auteurs réhabilitent de façon circonlocutive cette même hypothèse en évoquant «l'état de censure» qui serait bien installé au cœur de nos «structures mentales» :

> le Québec ne semble pas avoir dépassé sa propre autocensure, celle dont les tenants de la Révolution tranquille se targuent de nous avoir débarrassés. Cette censure inhérente à l'organisation de notre pensée empêche *le Québec* d'accéder à des niveaux de complexité dans l'appréhension qui pourraient nous permettre, en tant que collectivité, de remettre en question tout pouvoir, d'où qu'il vienne. [...] il nous semble que ce phénomène [l'état de censure] n'a pas totalement disparu des structures culturelles et mentales lors de la Révolution tranquille[114].

---

112. *Ibid.*, p. 15.
113. Yvon Montoya, Pierre Thibeault, *Frénétiques*, Montréal, Triptyque, 1999, p. 13.
114. *Ibid.*, p. 17 (c'est moi qui souligne).

De plus, même s'ils se montrent tranchants à l'égard d'un certain discours nationaliste, les auteurs n'échappent pas aux représentations identitaires monolithiques et englobantes. *Le* Québec et *la* culture québécoise sont fréquemment invoqués pour être critiqués : «*[l]a* culture québécoise est une représentation fermée et répétitive du réel cantonnée dans un imaginaire inopérant, une rue qui tourne à vide[115].» Cette envie irrésistible des généralités, pour reprendre l'expression wittgensteinienne, est d'ailleurs l'apanage de plusieurs des intellectuels interrogés dans le recueil. Par exemple, René-Daniel Dubois réitère sa conviction que la subjectivité, la façon d'appréhender le réel de l'intellectuel québécois est profondément «fasciste» : «il [le fascisme] est introjecté, il est intégré, et dans la tête des intellectuels et dans la tête des artistes[116].» Le peuple, victime d'un état de censure subtil et imperceptible (sauf pour des intellectuels comme Dubois qui, en rejetant l'interpellation nationaliste, sont capables de rompre avec l'aliénation), serait tenu à l'extérieur des discussions et des délibérations au sujet de son devenir collectif. Il n'existerait donc au Québec ni société civile, ni espace public.

Certains des autres intellectuels à qui la question sur l'état de la culture québécoise fut adressée reprennent de façon plus conventionnelle les thèmes abordés jusqu'ici dans ce chapitre. À titre d'exemple, Geneviève Letarte récupère l'argument voulant que le dynamisme culturel de la société québécoise soit réfréné par son identité politique confuse, floue et ambiguë. Lorsqu'elle observe le peuple québécois, Letarte voit «un peuple fatigué de traîner son

---

115. *Ibid.*, p. 16 (c'est moi qui souligne).
116. René-Daniel Dubois, *ibid.*, p. 42.

identité floue et lourde comme un boulet. Lourde comme une vieille carcasse[117].» L'artiste multidisciplinaire perçoit l'ambivalence identitaire et politique du Québec comme la source de sa «stagnation» et de sa «sclérose».

Poussant le délire essentialiste jusqu'à des sommets rarement atteints, l'auteur Maxime-Olivier Moutier s'attarde pour sa part au caractère pathologique de l'identité québécoise et fait de l'obsession la substance de l'être québécois : «je crois que le Québécois est obsessionnel. Un obsessionnel, en gros, c'est quelqu'un qui pense au lieu d'agir. [...] Le Québécois, c'est quelqu'un qui recule. C'est quelqu'un qui a peur, qui n'ose pas aller de l'avant parce qu'il y a toujours un risque à aller de l'avant. Tous les artistes d'ici souffrent de cette propension à ne rien faire, ne jamais rien dire pour exister[118].» La seule thérapie possible pour les Québécois étant l'affirmation de leur indépendance politique, Moutier croit lui aussi que l'on ne pourra opposer que l'exil à une nouvelle défaite référendaire[119].

L'espace où il est le plus étonnant de voir réapparaître le discours mélancolique est sans conteste la toute nou-

---

117. Geneviève Letarte, *ibid.*, p. 89. Cette assertion semble bien difficile à démontrer historiquement. L'identité des francophones du Québec a pris plusieurs formes au cours des siècles (ils ont été les premiers «Canadiens») et continue de se transformer aujourd'hui. Si Letarte a raison, on n'aura jamais vu un peuple transporter avec autant d'aisance son «boulet» et sa «vieille carcasse»!

118. Maxime-Olivier Moutier, *ibid.*, p. 106.

119. Il va sans dire que si les conceptions de la culture rassemblées dans *Frénétiques* manquent souvent de nuances et de perspective, les contributions sont loin de constituer un bloc monolithique et consensuel. Par exemple, Louise Dupré et Francis Dupuis-Déri font part, dans leur contribution respective, de toutes les tensions et des possibilités de résistance et de transgression inhérentes aux identités culturelles contemporaines.

velle revue *Argument*, qui s'est présentée comme un « forum de discussion » pluraliste où une « sensibilité » nouvelle et jusqu'ici assourdie par les clivages idéologiques québécois traditionnels est invitée à se déployer. Cette sensibilité procéderait « d'une expérience différente de ce que signifie ici appartenir à la culture moderne[120] ». Il n'est nullement question ici d'affirmer qu'*Argument* présente une pensée homogène et transparente à elle-même. Dans l'ensemble, la revue répond relativement bien à l'exigeant – presque insoutenable – défi du pluralisme. Il demeure quand même frappant de retrouver, sous la plume de jeunes collaborateurs (dont certains se sont carrément définis en opposition avec la génération qui les a précédés[121]), la même *sensibilité* triste et mélancolique que celle que j'ai longuement décrite depuis le début de ce chapitre. Pour ne prendre qu'un exemple, dans un dossier où *Argument* « met à nu l'incapacité des Québécois à juger de la France en dehors de son [leur ?] propre *psychodrame* identitaire[122] », Daniel Tanguay jette un regard sur le Québec qui s'inscrit assez bien dans la trajectoire intellectuelle étudiée ici. Dans son texte, Tanguay raconte comment l'envie « d'en finir avec la condition canadienne-française et québécoise, de sortir d'un seul bond de la condition de "minoritaire" » se trouvait à la source de son désir irrépressible de vivre l'expérience française[123]. Or, selon lui, le retour de l'exil européen, pour celui qui aurait

120. « L'esprit d'*Argument* », *Argument*, volume 1, numéro 1, automne 1998, p. 3.
121. Voir Daniel Tanguay, « Requiem pour un conflit générationnel », *op. cit.*, p. 58-80.
122. « France-Québec : regards sur un éternel malentendu », *Argument*, volume 2, numéro 2, printemps 1999, p. 18 (c'est moi qui souligne).
123. Daniel Tanguay, « Un retour d'Europe », *ibid.*, p. 28.

consenti à une véritable «transformation intérieure», prendrait la forme du malaise, de l'inconfort, du dépaysement, du désenchantement et de l'impossible communion avec sa patrie d'origine. Plutôt que de voir cette façon d'être et de (co)exister comme un attribut de plus en plus normal en condition de pluralisme identitaire, Tanguay en impute la responsabilité à la «névrose identitaire québécoise». En effet, puisqu'il est ontologiquement insécure et honteux de lui-même, le Québécois ne peut que se sentir menacé par les symboles de la Grande Culture française. En tant qu'«ersatz appauvri de culture d'expression française», la culture québécoise ne peut que se définir en opposition catégoriale face à l'*authentique* culture d'expression française, c'est-à-dire la France. D'où d'ailleurs la persistance de ce «vieil anathème anti-intellectualiste québécois», que Tanguay accepte comme un fait indéniable[124]. En bref, conclut-il, «la persistance navrante d'une attitude défensive, voire d'hostilité, à l'égard de la France montre que notre société n'a pas vraiment surmonté son *handicap identitaire*[125]». Bien qu'il ne faille pas confondre la pensée de Tanguay et celle d'*Argument*, on peut tout de même conclure que certaines sensibilités exprimées dans les pages de la revue sont directement héritières de la pensée nationaliste mélancolique québécoise.

---

124. *Ibid.*, p. 32. Dans la même veine, le dramaturge et metteur en scène Wajdi Mouawad considère, pour sa part, qu'au Québec, «on a peur de l'intelligence» dans *Frénétiques*, p. 99.

125. *Ibid.*, p. 34 (c'est moi qui souligne). Tanguay s'inspire largement d'un article d'André Laurendeau intitulé : «Il y a l'Europe du plaisir ou celle, vécue comme un malaise, des "retours d'Europe"». Or, malgré le fait que le récit de Laurendeau fut composé en 1963, l'ancien directeur du *Devoir* laisse place à beaucoup plus de doutes et de nuances dans son évaluation de la culture québécoise. Voir *Ces choses qui nous arrivent*, Montréal, Éditions HMH, 1970, p. 139-143.

Le vague à l'âme et la mélancolie ne sont donc pas exclusivement l'apanage des intellectuels nationalistes qui ont bâti le Québec «moderne» et vieilli avec lui. Ce récit est maintenant le fait de jeunes paroliers qui ont eux aussi «mal au pays». Ce discours n'est évidemment pas platement récupéré ; les nouveaux narrateurs du Québec l'ont traduit, plutôt que transmué, sans altérer fondamentalement sa nature. Même quelqu'un comme Robert Lepage, qui s'évertue à communiquer à l'étranger l'image d'une hyper-modernité québécoise, considère tout de même que l'«on est profondément colonisés[126]». De façon tout aussi étonnante et ambivalente, Jean-François Lisée et Alain Dubuc, déterminés malgré leurs différences à en finir avec ce qu'ils appellent respectivement notre culture de «l'échec» et de «perdants», semblent tous les deux postuler, du moins implicitement, que l'*ethos* québécois est toujours assiégé par cette humilité héréditaire et désespérante[127].

L'accent est plutôt mis aujourd'hui sur la médiocrité culturelle ambiante dans laquelle baigne le Québec ; une médiocrité elle-même tributaire d'une honte et d'un mépris de soi historiques. L'étymologie des problèmes du Québec contemporain demeure associée à une aliénation native, originelle. L'ambiguïté identitaire et politique des Québécois est toujours considérée comme une tare maligne dont il faudra absolument se départir. La condition québécoise rime encore, dans la prose des nouveaux narrateurs, avec névrose, crise, handicap et psychodrame. Comme pour Vallières, le destin de la collectivité

---

126. «De la scène à la politique. Entretien avec Robert Lepage», *Argument*, volume 2, p. 99.
127. Jean-François Lisée, *Sortie de secours*, p. 19-22. ; Alain Dubuc, «Penser en gagnants», *La Presse*, 22 février 2000.

québécoise semble toujours être celui de la « mort lente »
ou de la « médiocrité prolongée ». J'explorerai, aux chapitres 2 et 4, les conditions de possibilité d'une conversion
du regard et d'un affranchissement de ce récit morose et
mélancolique à travers lequel l'identitaire québécois
s'exprime depuis plus d'un demi-siècle.

CHAPITRE 2

Vers une nouvelle représentation de nous-mêmes : Guy Laforest, Jocelyn Létourneau et la critique du discours sur la normalité nationale

> *Les lumières se définissent comme la sortie de l'homme hors de l'état de minorité, où il se maintient par sa propre faute. La minorité est l'incapacité de se servir de son entendement sans être dirigé par un autre. Elle est due à notre propre faute quand elle résulte non pas d'un manque d'entendement, mais d'un manque de résolution et de courage pour s'en servir sans être dirigé par un autre.*
>
> Emmanuel Kant

> *Je ne sais pas si jamais nous deviendrons majeurs.*
>
> Michel Foucault

On se rappellera que le passage ou la transition entre la minorité et la majorité fut défini par Emmanuel Kant comme la réponse à la question : «Qu'est-ce que les Lumières?» Les individus et les peuples matures et éclairés, selon le philosophe allemand, ce sont ceux qui sont capables de se guider à l'aide de leurs propres lumières. On reconnaît là l'idéal d'*autonomie*, la pierre angulaire de la philosophie critique kantienne. Or on a souvent relevé la filiation entre le nationalisme québécois et le romantisme allemand. Cette filiation ne saurait être remise en question. La recherche d'authenticité qui anime le nationalisme québécois, du moins dans ses variantes étudiées au chapitre 1, puise indéniablement une large part de son inspiration dans le courant romantique allemand du début XIXe siècle. Les intellectuels nationalistes québécois, clamant entre autres choses que l'être humain ne peut s'épanouir et découvrir son identité véritable que dans les confins d'une nation et par l'immersion dans un langage qui est bien davantage qu'un simple instrument de communication, ne restent pas indifférents devant la critique herdérienne du rationalisme abstrait des Lumières[1]. Il ne serait d'ailleurs pas inintéressant de procéder à une lecture parallèle et croisée des textes de Herder et de quelques-uns des dramaturges les plus importants de la condition identitaire québécoise.

Toutefois, l'importance des idéaux des Lumières françaises et de l'*Aufklärung* ne saurait être passée sous silence. Comme j'ai essayé de le montrer, les nationalistes mélancoliques, d'hier à aujourd'hui, sont à la recherche d'une normalité qui s'incarnerait dans une certaine maturité nationale. Pour reprendre les termes de Kant cités en exergue, les intellectuels nationalistes interpellés ici attendent et appellent la sortie du Québec « hors de son état de minorité ». Bien qu'ils soutiennent rarement que le Québec, croupissant sous le poids de son histoire malheureuse, est entièrement responsable de son agonisante maturation, les intellectuels nationalistes sont habituellement enclins à affirmer que le peuple québécois manque

1. Pour une lecture pénétrante du travail de Herder, voir Charles Taylor, « The Importance of Herder », *Philosophical Arguments*, Cambridge, Harvard University Press, 1997, p. 79-99.

de «résolution et de courage[2]». Bref, les notions normatives d'autonomie *et* d'authenticité animent tout autant la
quête d'une normalité nationale[3].

Une des certitudes sur lesquelles s'ancre la narration
mélancolique est sans conteste l'*anormalité* de la condition
identitaire (passée et présente) et du statut politique du
Québec. D'un côté, la grande répression d'un passé trop
douloureux et l'intériorisation du regard infantilisant de
l'autre seraient à l'origine d'une identité québécoise perpétuellement juvénile, mal assumée, inhibée et fatiguée. Cette
propension à voir l'identité québécoise sous le signe de la
déliquescence et de l'anormalité habite même des intellectuels qui ont voulu rompre avec le caractère «litanique»
de la narration historique nationaliste. Par exemple, Léon
Dion, faisant remarquer que «notre littérature est remplie
de gémissements, de désespérances sur notre passé», considérait avec raison que les identités nationales sont davantage fondées sur des interprétations du présent et des
projections dans l'avenir que sur une mémoire irrémédiablement meurtrie[4]. Sans nier que les identités se formulent

---

2. Selon Vadeboncœur, le Québec est atteint «de la maladie du servi-
teur, véritable syndrome. Nous sommes modestes comme on est
pauvre. Nous ne sommes pas sûrs d'avoir une volonté parce que
nous ne sommes pas sûrs de pouvoir s'en servir.» (Pierre
Vadeboncœur, «Être des maîtres», *To be or not to be*, p. 150.)
3. Il est d'ailleurs difficile de définir normativement l'authenticité
sans évoquer une notion d'autonomie (et vice-versa). En effet,
comment un agent humain pourrait-il se construire une identité
originale et singulière (authenticité) sans façonner ses propres lois
(autonomie)? Il vient donc un point où authenticité et autonomie
se croisent et en viennent presque à se confondre. Sur la relation
entre autonomie et authenticité, voir Charles Taylor, *Grandeur et
misère de la modernité*, Montréal, Bellarmin, 1992; et Alessandro
Ferrara, *Reflective Authenticity. Rethinking the Project of Modernity*,
Londres et New York, Routledge, 1998.
4. Léon Dion, «Une identité incertaine», *L'horizon de la culture.
Hommage à Fernand Dumont, op. cit.*, p. 467.

à partir d'une inscription dans un contexte spatio-temporel, le politologue arguait que c'était « moins par les stigmates de leur passé que par les représentations de leur présent et les anticipations de leur avenir que les nations affirment et vivent leur identité[5] ». Malgré cette détermination à soustraire la narration de l'identité québécoise de l'emprise du récit mélancolique, la critique de Dion demeure une *quasi*-rupture épistémologique et narrative. En effet, Dion ne parvient pas à se dépêtrer de l'image d'une identité québécoise contemporaine anormale, diluée, édulcorée et, *eo ipso*, inauthentique. Selon Dion,

> L'identité qu'ils [les Québécois francophones] recherchent ne porte malheureusement pas souvent le sceau de l'authenticité. Elle n'est qu'une simple copie de l'original étranger. [...] Les Canadiens français, au sein de la génération montante surtout, vivent la modernité (ou la postmodernité) dans l'incertitude d'une identité mal amarrée, une incertitude aussi stérile et plus pathétique qu'autrefois[6].

Il ne fait donc aucun doute pour Dion que l'identité québécoise contemporaine, fidèle en cela à l'ancienne identité canadienne-française, échoue au test de la maturité, de la normalité et de l'authenticité. Dion reste un intellectuel mélancolique. Par contre, sa mélancolie, plutôt que d'être fondée sur des tourments mnésiques ou une mémoire traumatique, s'appuie sur une interprétation à mon sens erronée du *présent* ; c'est-à-dire sur une mécompréhension du caractère pluriel, métissé et labile des authenticités contemporaines. Ainsi que je tenterai de le démontrer au chapitre 4, les contours et la nature de l'authenticité, tant individuelle que collective, doivent être

---

5. *Ibid.*, p. 468.
6. *Ibid.*, p. 466-469.

redéfinis à la lumière de la diversité profonde qui s'anime au cœur des sociétés contemporaines.

Cela dit, Dion n'a pas été le seul intellectuel nationaliste québécois qui, bien qu'il fût désireux d'en finir avec notre litanie nationale, est demeuré absorbé par l'idée de l'anormalité de notre condition. Même Gérard Bouchard, qui souligne pourtant que les collectivités neuves s'abreuvent souvent à des «mythes dépresseurs» pour se raconter et donner sens à leur condition, considère qu'il n'y a pas encore de *véritable* identité québécoise. À son avis, c'est seulement de la création d'une large coalition nationale formée de citoyens québécois aux racines et horizons divers, appuyée sur une langue commune (le français), que pourra émerger, à long terme, une identité québécoise mature et authentique[7]. Bouchard, malgré le caractère original de ses recherches, demeure habité par la mélancolie québécoise décrite précédemment. Comme le note avec justesse Jocelyn Létourneau, Bouchard reprend «à son tour l'éternelle complainte du destin inachevé et de la culture qui ne s'est jamais complètement exprimée[8]». En effet, selon Bouchard, «[d]es tendances, des aspirations collectives parmi les plus légitimes et les plus fondamentales attendent toujours de s'exprimer. [...] Il y a ici un rêve continental, américain, qui sommeille, captif de nos ambiguïtés et de nos hésitations[9].» Même sous la plume novatrice de Bouchard s'affirme la condamnation

---

7. «Elle [la langue] est le seul vecteur qui ouvre la voie à des interactions, à des expériences communes appelées dans la longue durée à nourrir une *véritable* identité québécoise.» (Gérard Bouchard, «Manifeste pour une coalition nationale», *Le Devoir*, 4 et 5 septembre 1999, p. A 13 [c'est moi qui souligne].)
8. Jocelyn Létourneau, «Pour une révolution de la mémoire collective», *op. cit.*, p. 43.
9. Cité dans *ibid.*, p. 43.

séculaire des tiraillements identitaires des Québécois. Or, même si mon objectif ne sera pas de passer la spécificité du Québec sous le rouleau compresseur de la *normalité*, comme ont pu le faire par exemple certains historiens révisionnistes de l'histoire du Québec, je m'appliquerai plus loin à démontrer que le caractère non pas dual, mais bien pluriel, des identités ne peut plus aujourd'hui être associé, du moins de façon causale, à l'anormalité identitaire et à l'insécurité ontologique.

Il ne s'agit pas ici de remettre en doute ou de tourner en dérision la tristesse qui s'échappe, au compte-gouttes, de l'écriture des écrivains mélancoliques. Cette distillation est révélatrice d'une façon, largement partagée, de vivre et de ressentir le Québec. À n'en point douter, le Québec fut déjà une colonie intérieure ; c'est-à-dire une société largement confinée à l'hétéronomie. De plus, que l'aliénation nationale décrite par les intellectuels nationalistes ait été réelle, imaginée ou projetée, cela ne change rien au fait qu'elle fut ressentie, *éprouvée*. Il ne faut donc pas penser que l'on peut effacer d'un trait et remiser définitivement ce discours en proclamant péremptoirement sa non-représentativité. Charles Taylor nous a appris que les jugements radicaux et partiaux au sujet d'une identité masquent mal le fait que c'est toujours sur la base d'une identité que l'on peut en imaginer une autre[10]. L'identitaire québécois, en tant qu'ensemble plus vaste, restera

---

10. Par exemple, dans une phrase adressée aux détracteurs de l'identité moderne, Taylor arguait que « to see the full complexity and richness of the modern identity is to see, first, how much we are all caught up in it, for all are attempts to repudiate it ; and second, how shallow and partial are the one-sided judgments we make around it. » (*Charles Taylor, Sources of the Self. The Making of the Modern Identity*, Cambridge, Harvard University Press, 1989, p. X.)

sans doute habité encore longtemps par cette narration. Il faudrait néanmoins se demander quelle fraction de la population québécoise se reconnaît vraiment dans ce récit aux accents maussades. Il faut se demander si la «fatigue québécoise» décrite par Larose et les autres constitue bel et bien le noyau dur de l'identité québécoise. Jusqu'à quel point les postulats, érigés en dogmes, d'un Québec las et apathique, de l'existence d'un inconscient collectif qui drainerait *de facto* toute énergie créatrice et émancipatrice, d'une ambivalence politique aux accents suicidaires ne répondent-ils pas à des impératifs plus narratifs que «phénoménologiques»? Il est impossible, pour répondre à ces questions, d'avoir un accès direct à la réalité, c'est-à-dire un accès inaltéré par le filtre de nos représentations. On sait toutefois que de plus en plus de voix s'élèvent pour contester cette entreprise narrative qui repose sur une référence historique unitaire.

De nouvelles formes de québécitude s'expérimentent à l'intérieur même des frontières (mouvantes) de l'authenticité québécoise. Cette recomposition de l'identité québécoise n'a pas comme corollaire nécessaire le sabordage d'une mémoire et d'un passé. Elle peut toutefois impliquer un rapport différent à l'histoire. Elle demande surtout l'émergence de nouveaux récits, de nouvelles façons de se dire et de se représenter qui correspondent mieux à une sensibilité qui ne se retrouve pas dans les mythes dépresseurs créés et entretenus par les intellectuels mélancoliques. Il ne s'agit donc pas d'opposer à ce pessimisme relatif l'affirmation tronquée d'un présumé «génie québécois», mais plutôt d'élaborer de nouvelles «fictions persuasives» qui colleront un peu mieux à la multiplicité des façons de vivre et de ressentir la québécitude.

Malgré ce que peut en penser le philosophe Serge Cantin, qui considère que les tentatives de penser l'identité québécoise dans sa dissémination et son éclatement révèlent en fait toute l'ampleur de l'aliénation intellectuelle des penseurs québécois[11], il est bel et bien possible de trouver dans la tradition québécoise les germes d'une pensée non moniste de l'identité. Les nouveaux narrateurs du Québec désireux de montrer comment le mouvement et le métissage se trouvent au cœur de l'identité québécoise n'ont pas à créer une discursivité complètement inédite. Des penseurs d'ici ont réussi à concevoir l'identité nationale du Québec à l'extérieur des positions paradigmatiques et mutuellement exclusives de l'indépendantisme comme voie d'accès nécessaire à la normalité et à la maturité et de l'antinationalisme cosmopolitique. En brouillant les frontières du dedans et du dehors, André Laurendeau (malgré ses accents parfois mélancoliques), Guy Laforest et Jocelyn Létourneau ont, à mon sens, pavé la voie à une interprétation dynamique de l'identité québécoise sans se laisser charmer pour autant par les sirènes de l'antinationalisme.

---

11. En effet, Cantin associe les conceptualisations du caractère pluriel et hybride de l'identité québécoise à l'assimilation béate et passive du courant postmoderniste. Colonisés jusqu'à la moelle, les intellectuels québécois feraient donc preuve d'un à-plat-ventrisme désolant devant la prolifération d'un discours venu d'outre-mer. Voir Serge Cantin, «J'impense, donc j'écris. Réplique à Jocelyn Létourneau», *Argument*, volume 1, numéro 2, p. 140. Pourtant, il n'est jamais venu à l'esprit de Cantin de douter de l'autochtonéité de la pensée de Fernand Dumont, même si ce dernier s'est déclaré débiteur du travail d'un Gaston Bachelard, pour n'en nommer qu'un.

UN PRÉCURSEUR : ANDRÉ LAURENDEAU

André Laurendeau compte de nombreux héritiers spiri-
tuels. Son nom, par contre, n'est pas celui qui revient le plus
souvent lorsque le regard se porte sur l'histoire des idées
québécoises. En effet, puisque la question nationale
constitue une large part de notre histoire des idées, et
puisque cette histoire est largement dominée par le débat
entre nationalisme sécessionniste et antiséparatisme, une
pensée fine et remplie de tensions comme celle de
Laurendeau tend à se perdre ; d'autant plus que les partisans
de *Parti pris* et de *Cité libre* n'éprouvaient guère de sympathie pour le nationalisme affirmationniste de Laurendeau.
D'un côté, les intellectuels nationalistes, qui faisaient (et qui
font toujours) de l'ambivalence identitaire et politique des
Québécois une pathologie chronique, ne pouvaient que
répudier la vision bilingue *et* biculturelle du Canada chérie
par l'ancien directeur du *Devoir*. De l'autre, Trudeau et les
partisans d'un Canada uninational fondé sur la primauté
des droits individuels se trouvaient plus embarrassés par le
nationalisme non sécessionniste de Laurendeau que par la
lutte de libération partipriste. D'ailleurs, Laforest considère
que «[d]ans le domaine des idées c'est lui [Laurendeau],
bien plus que René Lévesque, qui fut le véritable adversaire
de Pierre Trudeau[12]». L'importance de Laurendeau réside
dans le fait qu'il fut l'un des premiers à refuser de se laisser
embrigader dans la pensée dichotomique faisant en sorte
que l'on *doive* choisir entre nationalisme sécessionniste et
antinationalisme.

Le nationalisme de Laurendeau n'est guère monolithique. D'une formation intellectuelle largement dominée

---

12. Guy Laforest, « La tradition d'une situation », *De l'urgence. Textes
politiques 1994-1995*, Montréal, Boréal, 1995, p. 155.

par l'enseignement de son maître Lionel Groulx jusqu'à sa présidence de la Commission royale d'enquête sur le bilinguisme et le biculturalisme, en passant par son séjour en sol européen, la pensée de Laurendeau s'est bâtie autant sur la continuité que sur la rupture[13]. Pour les fins de mon propos, je m'attarderai principalement à sa pensée plus tardive. Sans avoir répudié l'enseignement du chanoine Groulx, le Laurendeau des années 60 était bien au fait de l'interpénétration sans cesse grandissante entre les cultures. Plutôt que de condamner cette hybridation, Laurendeau chercha à jeter les bases d'un nationalisme québécois capable de prendre en charge autant la précarité d'être du peuple québécois que le caractère de plus en plus métissé de son *ethos*[14].

C'est ainsi que l'existence d'une *nation* québécoise qu'il fallait défendre et promouvoir demeurait sans aucun doute l'une des prémisses fondamentales sur laquelle Laurendeau fondait sa réflexion. C'est *à partir du* et *pour le* Québec qu'il réfléchissait à la nature du nationalisme québécois et du fédéralisme canadien. Or la fédération

---

13. Alors que Denis Monière montre comment Laurendeau s'est approprié l'héritage légué par Henri Bourassa et Lionel Groulx, Louis Balthazar nous fait prendre conscience de l'originalité du nationalisme de Laurendeau. Voir Denis Monière, « André Laurendeau et le renouvellement de la pensée nationaliste », *Penser l'éducation. Nouveaux dialogues avec André Laurendeau*, Nadine Pirotte (dir.), Montréal, Boréal, 1989, p. 73-85 ; et Louis Balthazar, « André Laurendeau, un artiste du nationalisme », *André Laurendeau. Un intellectuel d'ici*, Robert Comeau et Lucille Beaudry (dir.), Québec, Les Presses de l'Université du Québec, 1990, p. 169-178.

14. Déjà en 1967, Laurendeau écrivait que « de plus en plus nous vivons dans des sociétés pluralistes où certaines identifications simplistes sont de moins en moins possibles ». (*Rapport de la Commission royale d'enquête sur le bilinguisme et le biculturalisme*, Livre 1, 1967, p. XXXIX.)

canadienne n'offrait pas au Québec, encore dans les années 60, le cadre politique nécessaire à son émancipation. Le *statu quo* constitutionnel paraissait intolérable aux yeux de Laurendeau[15]. D'où le sentiment d'urgence qui se dégage de la lecture des pages bleues insérées dans le premier volume du rapport final de la Commission sur le bilinguisme et le biculturalisme. De cette Commission qu'il coprésida, Laurendeau croyait qu'il résulterait «soit la rupture, soit un nouvel agencement des conditions d'existence[16]». Dans ces fameuses pages bleues, dont on lui confia l'écriture, il définit les principes d'une vaste et ambitieuse réforme constitutionnelle. Les francophones devaient avoir accès à des services dans leur langue et pouvoir «se reconnaître dans les institutions politiques et dans les symboles» du pays[17]. Plus encore, l'égalité des peuples fondateurs du Canada devait devenir, selon Laurendeau, «l'idée-force» du fédéralisme canadien. En effet, le régime fédéral canadien ne devait pas, selon les recommandations de Laurendeau, s'adresser uniquement à des individus égaux devant la loi, mais aussi reconnaître les droits des communautés : «[i]l ne s'agit plus du développement culturel et de l'épanouissement des individus, mais du degré d'*autodétermination* dont dispose une communauté par rapport à une autre[18].» Possédant un sens intuitif étonnant, Laurendeau croyait que l'égalité individuelle promue par le libéralisme politique «ne

---

15. André Laurendeau, «Mon hypothèse est la suivante : la Confédération vaut mieux que la séparation, pourvu qu'elle soit refaite», *Ces choses qui nous arrivent*, Montréal, Éditions HMH, 1970, p. 60.
16. *Rapport de la Commission royale d'enquête sur le bilinguisme et le biculturalisme*, p. VII.
17. *Ibid.*, p. XXXII.
18. *Ibid.*, p. XXXV.

saurait exister tout à fait que si chaque communauté a partout les moyens de progresser dans sa culture et d'exprimer celle-ci[19]». Or cette égalité culturelle est, selon lui, très loin d'exister dans le Canada de la fin des années 60. Le français n'était pas reconnu comme langue officielle, les communautés francophones du Canada n'étaient guère représentées dans les institutions officielles et, surtout, jouissaient d'un faible niveau d'autodétermination. De plus, le caractère biculturel du Canada était, le plus souvent, nié par la majorité anglophone[20].

Laurendeau n'avait donc rien du défenseur inconditionnel du fédéralisme canadien. L'indépendance du Québec, qu'il prenait au sérieux, n'était toutefois pas l'option politique qu'il privilégiait pour sa patrie[21]. La résistance à l'hégémonie américaine est le motif que les commentateurs invoquent le plus souvent lorsque vient le temps de justifier la réticence de Laurendeau à appuyer le mouvement indépendantiste québécois. Selon Laurendeau, c'est seulement en s'unissant que le Québec et le Canada pourraient éviter de se laisser emporter par le vent de l'homogénéisation qui soufflait à partir des États-Unis[22].

---

19. *Ibid.*, p. XXXIV. Cette intuition fut reprise et articulée par le philosophe Will Kymlicka dans *Liberalism, Community and Culture*, Oxford, Clarendon Press, 1989. Alain-G. Gagnon développe cet aspect de la pensée de Laurendeau dans «La pensée politique d'André Laurendeau : communauté, égalité et liberté», *Les cahiers d'histoire du Québec au XXe siècle*, numéro 10, hiver 2000, p. 31-44.

20. Selon Laurendeau, cette négation avait de quoi rendre les francophones «furieux». «À la base du CANADIANisme : une foi trop volontariste et un objet trop flou...», *Ces choses qui nous arrivent*, p. 145.

21. Voir André Laurendeau, «Indépendance? Non : un Québec fort dans un fédéralisme neuf», *ibid.*, p. 31-34.

22. Pierre de Bellefeuille, «André Laurendeau face au séparatisme des années 60», *André Laurendeau. Un intellectuel d'ici*, p. 158.

Toutefois d'importants aménagements devaient être apportés à la fédération canadienne pour que le Québec et le Canada fassent front commun. L'établissement du fédéralisme asymétrique, capable de reconnaître le Québec comme «société distincte» et respectueux des prérogatives provinciales, était donc dans la mire de Laurendeau. Or l'histoire nous a appris que cette vision dualiste du Canada n'a pas résisté aux foudres du nationalisme pancanadien formulé et défendu par Trudeau. Comme nous le verrons avec Laforest, c'est tout un «rêve canadien» qui s'est effondré avec la victoire de la vision trudeauiste au pays.

GUY LAFOREST ET LE DÉPASSEMENT DE LA CONQUÊTE

> *Désirer le dépassement de la Conquête, c'est souhaiter, au Québec, le repli du ressentiment dans les interstices de la société.*
>
> Guy Laforest

Depuis près d'une dizaine d'années, Guy Laforest s'efforce de contribuer à la redéfinition des fondations du nationalisme québécois. Formé en philosophie politique, Laforest s'est attardé et s'attarde toujours à la difficile relation entre nationalisme et libéralisme politique dans le contexte canado-québécois[23]. C'est ainsi qu'il s'affaire, avec d'autres, à jeter les bases d'un *nationalisme libéral* où le respect des droits individuels n'implique pas la

---

23. Pour un aperçu de ces recherches, voir Guy Laforest, «Libéralisme et nationalisme au Canada», *De la prudence*, Montréal, Boréal, 1993, p. 85-118; François Blais, Guy Laforest et Diane Lamoureux (dir.), *Libéralismes et nationalismes; philosophie et politique*, Sainte-Foy, Les Presses de l'Université Laval, 1995.

dissolution des droits collectifs[24]. Selon Laforest, un équilibre, toujours précaire et instable, doit être établi (par la délibération politique plutôt que par les seules lumières du philosophe) entre les revendications nationales et la primauté des droits individuels. Il considère donc que les droits individuels, bafoués plus souvent qu'à leur tour au cours de ce siècle, doivent être garantis et enchâssés dans une charte des droits et libertés. Toutefois, puisque la liberté des individus prend forme et s'incarne, selon Laforest, au sein d'une tradition et d'une appartenance communes, les minorités nationales doivent être reconnues dans les termes qu'elles utilisent pour se représenter et, surtout, posséder l'autonomie politique nécessaire à la sauvegarde et à la (re)production de leur identité. En filigrane à ces considérations d'ordre ontologique, le politologue de l'Université Laval conçoit le Québec comme une *société distincte pluraliste* où la défense et la promotion d'une identité nationale, détentrice d'une langue commune ainsi que d'une gamme d'institutions, se conjuguent avec la possibilité pour les citoyens de décliner leur identité au pluriel et, par conséquent, d'avoir un sentiment d'appartenance différent au Québec[25].

Cette vision du Québec comme société distincte pluraliste se heurte toutefois à l'univers symbolique trudeauiste qui fait du Canada une fédération uninationale fondée sur l'égalité juridique des provinces ainsi qu'à la narration mélancolique construite sur la base d'une trame historique tragique et unitaire à laquelle tous doivent se référer, sous peine de se voir taxer d'inauthenticité. Comme je l'ai

---

24. C'est ainsi également que j'interprète la démarche du philosophe Michel Seymour. Voir *La nation en question, op. cit.*
25. Guy Laforest, «Une société distincte pluraliste», *De l'urgence*, p. 51-63.

mentionné en introduction, Laforest est l'auteur de l'une des critiques les mieux structurées du régime fédéral canadien issu du rapatriement unilatéral de la Constitution de 1982. Selon lui, l'introduction de la Loi constitutionnelle de 1982, sans le consentement du Québec, est à l'origine d'un nouveau nationalisme canadien, de la fondation d'une identité pancanadienne et d'une modification de l'équilibre des pouvoirs qui heurtent de plein fouet la volonté du Québec de se concevoir comme nation, société distincte et communauté politique autonome. L'échec des différentes tentatives de renouvellement constitutionnel exemplifie, selon Laforest, la réussite de cette entreprise de refondation du pays. Une nation (canadienne) s'est édifiée, conclut Laforest, sur les cendres d'une fédération. Bref, en 1982, « le Canada s'est reconstruit dans le mépris le plus total des idées chères à Laurendeau : dualité nationale, société distincte québécoise, fédéralisme asymétrique[26] ».

Laforest infère donc l'illégitimité morale de l'ordre constitutionnel canadien actuel de la violation des conventions de reconnaissance mutuelle, de réciprocité, de coordination et de consentement qui doivent se trouver, selon lui, au centre des associations politiques de type fédéral. La légitimité du projet souverainiste réside donc bien davantage dans une rupture de confiance et dans un abus de pouvoir que dans une série de griefs historiques. Le nationalisme de Laforest ne se reconnaît pas dans la quête de normalité et dans le désir de reconquête qui constituent les pierres angulaires de la narration mélancolique. Si Laforest se montre tranchant à l'endroit du fédéralisme unitariste canadien, il se montre tout aussi critique envers le type de nationalisme dépeint au chapitre 1.

---

26. Guy Laforest, « La tradition d'une situation », *op. cit.*, p. 154.

Laforest ne croit pas en effet à la *nécessité historique et théorique* de l'indépendance du Québec. Selon lui, une nation peut très bien s'émanciper à l'extérieur des confins du modèle stato-national. L'indépendance, ou la construction d'un État-nation, n'est pas vue comme une étape nécessaire et préalable à l'atteinte de la maturité, à la mutation d'une conscience collective occupée par l'autre ou à l'exorcisme d'un passé qui assassine le présent. En d'autres termes, Laforest ne considère pas la souveraineté du Québec comme la rupture cathartique ou le « dégagement psychologique », pour reprendre les mots de Vadeboncœur, nécessaires à l'émancipation du Québec. Selon lui, le Québec a besoin de la reconnaissance de son identité et de la garantie que les pouvoirs dont il doit disposer pour assurer sa pérennité ne se trouveront pas altérés ou modifiés sans son consentement. Ce statut politique peut donc s'incarner autant dans la souveraineté du Québec que dans l'édification d'un fédéralisme asymétrique et multinational. « Moralement et politiquement, je crois que le fédéralisme et l'indépendance ont pu tous les deux se réclamer de la légitimité dans l'histoire du Québec », argue Laforest à cet égard[27]. D'aucune façon l'État-nation n'est perçu comme « le statut *normal* d'un peuple *normal* », pour reprendre l'expression désormais consacrée dans la pédagogie indépendantiste. Selon Laforest, les peuples fédérés ne sont ni anormaux ni aberrants.

Cette critique du discours sur la normalité et sur la nécessité historique de l'indépendance n'est guère prisée par les chantres de la décolonisation du Québec. Même chez quelqu'un comme Vadeboncœur, l'une des plumes les plus intéressantes parmi les intellectuels mélancoliques,

---

27. Guy Laforest, « Fédéralisme et morale », *De l'urgence*, p. 99.

la nécessité historique de l'indépendance ne fait aucun doute. «Je me situe en 1987 et je suppose qu'alors l'indépendance sera chose faite car elle est raisonnable et ne demande pour se réaliser que la poursuite d'une évolution déjà avancée et dont le progrès est probable», écrivait Vadeboncœur en 1977[28]. La souveraineté, comme en témoignent ces lignes, est l'aboutissement normal, logique, nécessaire du pénible et spasmodique processus d'autonomisation du Québec. Appuyer l'indépendance, dans la narration de Vadeboncœur, équivaut à «se tenir debout» et à «faire l'histoire plutôt que de la subir». La liberté, au Québec, ne peut qu'emprunter le chemin de l'indépendance. En attendant, le Québec piétine, stagne, se laisse berner par les ruses de l'Histoire. Le Québec des nationalistes mélancoliques est englué dans un état permanent de vigile.

Le courant orthodoxe du nationalisme québécois, selon Laforest, est «celui qui sait où la raison et l'Histoire mènent nécessairement le Québec[29]». Or le philosophe politique de l'Université Laval s'en prend à toute eschatologie ou philosophie linéaire de l'Histoire. Alors que pour un libéral comme Trudeau, l'Histoire «va dans le sens du dépassement des nationalismes dans des grands ensembles fédéraux», des intellectuels nationalistes comme Vadeboncœur et Rioux considèrent que «ce sont les indépendances nationales, et donc celle du Québec, qui

---

28. Pierre Vadeboncœur, *Chaque jour, indépendance*, Montréal, Leméac, 1978, p. 18. Dans la même veine : « L'autonomie du système historique québécois a fini par se trouver un nom et une *destination*, qui sont précisément l'indépendance. Cela s'est produit sous la pression de la nécessité. » (Pierre Vadeboncœur, *To be or not to be*, p. 36.) Vadeboncœur persiste et signe dans son bouquin plus récent *Gouverner ou disparaître*, Montréal, Typo, 1993.
29. Guy Laforest, « Le Premier Ministre du Québec », *De l'urgence*, p. 159.

respectent la logique de l'évolution historique[30]». Renvoyant ces deux discours téléologiques dos à dos, Laforest soutient qu'on «se trompe quand on enferme un peuple dans un destin particulier[31]». Dans sa renarration de l'identité québécoise, il avance que les consciences éclairées qui font de la souveraineté du Québec une encoche au déploiement de la Raison dans l'Histoire font fausse route. Mais Laforest ajoute du même souffle que «[s]e trompent aussi ceux qui comparent l'accession du Québec à l'indépendance, en somme, au passage tout à fait nécessaire de l'adolescence boutonneuse et tourmentée à la maturité sereine de l'âge adulte[32]». Plus aristotélicien, Laforest considère pour sa part que «les visages de la prudence sont multiples» et fortement susceptibles de changer avec le temps. La maturité est perçue davantage comme une longue lutte pouvant s'incarner dans différentes structures politiques.

Au point de vue normatif, la critique du nationalisme québécois orthodoxe esquissée par Laforest prend la forme d'une recommandation, ou plutôt d'un défi : le dépassement de la Conquête. Pour Laforest, la vindicte historique doit être évacuée du nationalisme québécois. Selon lui, les velléités de reconquête d'une dignité perdue risquent fort d'être entachées de ressentiment et de revanchisme. En effet, comme cela a été largement discuté jusqu'ici, les intellectuels mélancoliques soutiennent que le Québec ne s'est jamais remis du traumatisme de l'abandon/conquête. Depuis, le regard de l'autre s'étant sédimenté dans la conscience de soi des francophones du

---

30. Guy Laforest, «Pierre Trudeau et le nationalisme», *De l'urgence*, p. 193.
31. Guy Laforest, «Cheminement», *De l'urgence*, p. 13.
32. *Ibid.*

Québec, l'aliénation et la «dépersonnalisation» (Bouthillette) tiennent lieu de subjectivité chez les Québécois. En jetant un regard rétrospectif sur la «blessure toujours ouverte[33]» de notre passé (un passé associé à la subordination face à l'anglophone), il est facile de verser dans la vindicte et le revanchisme. Les positions anticolonialistes les plus radicales étudiées au chapitre 1 sont d'ailleurs teintées de ressentiment. Or, selon Laforest, «le dépassement du ressentiment est le plus grand défi de notre histoire[34]». À l'aube du XXIe siècle, seul un nationalisme ouvert à différentes mémoires peut être susceptible de rallier une société québécoise traversée par le pluralisme. Dépasser la Conquête, pour Laforest, ne signifie pas se départir de son passé, mais plutôt accepter la coexistence de mémoires parfois correspondantes, parfois contradictoires. Dépasser la Conquête signifie aussi reconnaître que l'ambivalence d'être n'est pas une condition identitaire névrotique et que la normalité et la modernité politiques ne sont plus associées exclusivement à l'indépendance. En bref,

> souhaiter le dépassement de la Conquête pour le Québec, ce n'est pas faire comme si celle-ci n'avait jamais eu lieu. Au contraire, c'est espérer qu'on parviendra à l'assumer lucidement, sans tomber dans le ressentiment associé à toute opération de reconquête. Dépasser la Conquête, c'est accepter pour le Québec l'identité d'une société distincte plurinationale, c'est aussi reconnaître que les institutions du parlementarisme britannique nous appartiennent en propre, c'est enfin admettre que dans une société où le français devrait être la langue commune, l'anglais représente aussi

---

33. Jean Bouthillette, *Le Canadien français et son double*, Montréal, l'Hexagone, 1972, p. 13.
34. Guy Laforest, «Dépasser le ressentiment», *De l'urgence*, p. 169.

l'une de nos langues historiques. En deux mots, c'est accepter l'hybridité du Québec[35].

À travers le filtre de leur vision tragique de l'histoire et de l'existence, les narrateurs mélancoliques ont façonné l'image d'une patrie vaincue, blessée, traumatisée et inconsciente. Dans cette mise en récit de la condition identitaire québécoise, une trame historique univoque agit à titre d'unique cadre de référence. Or cette vision du Québec n'a rien de consensuelle dans le Québec contemporain. Plusieurs Québécois, dont des descendants des Canadiens français, ne se reconnaissent plus dans cette narration où le Québécois joue le plus souvent le rôle de la victime. De plus, ce discours ne s'adresse qu'à la communauté imaginée canadienne-française et, par le fait même, est incompatible avec le caractère polyethnique et multinational de la société québécoise. C'est ainsi que Laforest, dans sa réflexion philosophico-politique, ne tente pas de ramener la condition identitaire québécoise à une lecture de l'histoire ni à une projection dans l'avenir surdéterminées par un traumatisme fondateur, mais essaie plutôt d'élaborer un cadre politique où les Québécois pourront exprimer librement la polyphonie de leurs identités et de leurs mémoires.

---

35. Guy Laforest, « Cheminement », *op. cit.*, p. 191.

JOCELYN LÉTOURNEAU ET L'AMBIVALENCE D'ÊTRES DES QUÉBÉCOIS FRANCOPHONES

> *C'est dans l'invention d'un nouveau rapport à la culture, comme mémoire et comme horizon, que sera éventuellement redéfinie l'identité québécoise.*
>
> Jocelyn Létourneau

Déjà avec Laforest, l'identité duale d'une bonne majorité de Québécois avait cessé d'être associée à un vice ou au symptôme d'une profonde colonisation mentale. Ce dernier a toujours pressé les souverainistes de prendre le « rêve canadien » des Québécois au sérieux. Ce rêve canadien d'une société binationale et d'un fédéralisme asymétrique, chéri comme nous l'avons vu par Laurendeau, Laforest ne l'associe pas à la soi-disant insécurité ontologique des Québécois, mais plutôt à la volonté de vivre dans un cadre politique où différents peuples peuvent coexister sans avoir à renoncer à leur principale filière d'identification collective. Les souverainistes, conclut Laforest, ne devraient donc pas banaliser ou tourner en dérision cette vision du pays au nom d'une fictive maturité ou normalité nationale. Le devoir des souverainistes, selon Laforest, est plutôt « de se mettre dans les souliers de leurs concitoyens qui ont la triste impression, eux, que leur vrai pays s'est éteint avec la disparition d'une certaine idée du Canada[36] ».

L'historien Jocelyn Létourneau est peut-être celui qui a fait le plus au cours des dernières années pour « dépathologiser » l'appartenance duale et croisée d'une forte majorité de Québécois. Dans une perspective largement

---

36. Guy Laforest, « Un vrai pays », *De l'urgence*, p. 116.

correspondante à celle qui est esquissée dans cet essai, Létourneau s'intéresse au «pessimisme fondateur» de certains intellectuels québécois. Au dire de Létourneau, la mise en récit mélancolique de l'expérience québécoise procéderait plus de la déception et de l'affliction de certains intellectuels que d'un véritable examen du cheminement historique des Québécois francophones. En d'autres termes, la grande fatigue culturelle, l'indolence chronique, l'engluement dans les marges de l'Histoire, la «tragédie de destin» et la «désolation du vécu» dépeints par les narrateurs mélancoliques émaneraient d'abord et avant tout de leur propre désenchantement. Or l'historien de l'Université Laval soutient que cette déchéance collective ne coïncide pas et n'a jamais coïncidé avec l'expérience historique du groupement francophone au Québec. Les intellectuels québécois ont préféré reconstituer, selon Létourneau, une trajectoire historique modelée sur leur herméneutique tragique de l'évolution historique de la collectivité. Constatant le décalage entre leur narration identitaire et les façons dont les Québécois francophones ressentent et éprouvent leur identité, les intellectuels mélancoliques ont sans cesse «sermonné et rappelé à l'ordre ce groupe qui refusait son destin pronostiqué soit en étant infidèle à son identité octroyée, soit en refusant de s'affranchir de ses dominations présumées[37]». Or c'est selon eux l'étiolement de la survivance du peuple québécois qui se profile derrière cette infidélité. À l'unisson, ces intellectuels clament avec Vadeboncœur que «le peuple qui ne s'impose pas périra».

Une des conséquences de la surimposition de cette discursivité sur l'expérience vécue et ressentie des Québé-

37. Jocelyn Létourneau, «"Impenser" le pays et toujours l'aimer», p. 363.

coises et des Québécois réside dans la condamnation univoque et catégorique de l'ambivalence identitaire. Comme nous le rappelait Cantin, «c'est une très grave erreur de penser que nous pourrons vivre encore long-temps dans l'ambivalence[38]». Le spectre de l'extinction, de l'assimilation et du génocide en douce hante la prose de Cantin. Comme nous l'avons vu, les Québécois sont appelés à puiser au fond d'eux-mêmes le «courage de la liberté» et à rompre avec le confort de l'ambivalence. C'est la liberté du peuple québécois qui serait en jeu dans cet appel à la rupture. Or, considère Létourneau, ce dénoue-ment souhaité par certains intellectuels provient peut-être d'une conceptualisation erronée de «l'ambivalence d'êtres» des Québécois francophones. Létourneau ima-gine en quelque sorte une herméneutique autre que celle qui est déployée par les auteurs mélancoliques. La démarche herméneutique repose en effet sur une relation dialectique entre l'*interprétant* et l'*interprété*. L'interprété, c'est-à-dire la condition identitaire et les vicissitudes qui jalonnent le cheminement historique des francophones du Québec, est compris et évalué à la lumière des préoccupa-tions et des valeurs de l'interprétant. Bref, l'ancrage histo-rique dual et croisé d'une importante majorité de Québécois ainsi que leur nationalisme non indépendan-tiste séculaire sont évalués à l'aune de la condamnation de l'ambivalence et de l'indolence, de la nécessité historique et théorique de l'indépendance, etc.

Se proposant de rompre avec cette tradition interpré-tative, Létourneau suggère une nouvelle hypothèse de recherche : «[e]t si leur liberté, ils [les Québécois franco-phones] l'avaient trouvée dans ce hors-lieu identitaire qui

---

38. Serge Cantin, «J'impense, donc j'écris. Réplique à Jocelyn Létourneau», *Argument*, volume 1, numéro 2, 1999, p. 141.

s'appelle l'ambivalence d'êtres, celle-ci constituant précisément leur identité émancipée et accomplie et non pas aliénée ou contrainte[39]? » Plutôt que d'être un « problème à résoudre », l'ambivalence identitaire du groupement francophone devient pour Létourneau un phénomène à étudier et une donnée à assumer. En effet, l'historien attribue à l'ambivalence d'êtres un statut ontologique : « le lieu d'êtres des Québécois est précisément l'ambivalence ; [...] cette ambivalence est la seule permanence de leur condition, la seule invariante de leur continuité dans le temps[40] [...] » L'ontologie de Létourneau, comme celle de Dumont, est historique et temporelle. L'ambivalence n'est pas perçue comme une essence bien inscrite dans les gènes ou dans l'âme de l'être québécois, mais bien comme le fruit d'un processus historique où les francophones du Québec ont cherché, souvent laborieusement, une forme de médiation entre une identification primordiale au Québec et un profond attachement au Canada. Les ontologies (antinomiques) proposées par Dumont et Létourneau sont profondément *historicisées*. C'est dans les amoncellements laissés par l'histoire que les deux intellectuels exhument la condition identitaire du groupement francophone au Québec.

À sa lecture de l'histoire, Létourneau superpose un jugement d'ordre moral et politique : cette filiation duale n'émanerait pas d'une pusillanimité consubstantielle à l'être québécois et ne serait pas un positionnement politique suicidaire. Au contraire, revendiquer cette ambivalence identitaire « n'est pas une trahison des ancêtres, ni l'expression d'une hésitation aliénante ou d'une pitoyable

---

39. Jocelyn Létourneau, « "Impenser" le pays et toujours l'aimer », p. 364.
40. *Ibid.*, p. 380.

"fausse conscience de soi", mais une rapatriation de la sagesse réflexive des anciens dans la perspective de la construction d'un présent et d'un avenir définis suivant la ligne du risque calculé, c'est-à-dire de la raison sensible[41]». L'ambivalence identitaire et politique relève donc, selon Létourneau, de la prudence et de la sagesse. Cautionnée par la raison pratique, l'ambivalence cesse donc de rimer avec la déchéance et l'inconscience. L'historien refuse ainsi d'associer à l'enfance et à l'immaturité le positionnement identitaire des Québécois. Il faut déconstruire la métaphore de l'enfant qui, selon lui, relève d'une «erreur de diagnostic» : «le Québec n'est pas inachevé ni ne s'apparente à un enfant qui tarde à devenir adulte et qui rejette les responsabilités qui lui incombent[42].»

Létourneau se trouve ainsi à réfuter la thèse voulant que l'émancipation du Québec passe par la nécessaire *refondation* de son identité et de son cadre politique. Les Aquin, Dumont et Cantin ont tous affirmé, dans leurs écrits, la nécessité de refonder le pays non pas sur le déni du passé, à l'image de la Révolution tranquille, mais sur la reconnaissance et la prise en charge des pesanteurs de notre histoire. Cette refondation, en tant que manifestation patente d'une volonté collective déterminée à s'exiler des marges de l'Histoire, marquerait la fin de l'évitement, de la fuite, du refoulement et de la dénégation. Même des intellectuels de la nouvelle génération, pourtant bien au fait du caractère traumatique de la mémoire de certains de leurs prédécesseurs, semblent persuadés de la nécessité de refonder le Québec sur de nouvelles bases symboliques et politiques. Par exemple, Marc Chevrier postule que l'absence de débats sur l'idée d'une république du Québec

---

41. *Ibid.*
42. *Ibid.*

LE QUÉBEC À L'ÉPREUVE DU PLURALISME

et «l'interminable» discussion sur la nature de la nation québécoise proviennent en partie de la fadeur et de l'ambiguïté des fondements de notre régime politique. Au dire de Chevrier, le problème de définition de la nature de la nation québécoise

> est lié en partie aux fondements mêmes de notre régime politique. Jamais le Québec n'a connu d'événement politique fondateur par lequel le peuple, en un acte solennel, participe au choix des idéaux, des principes et des institutions de sa collectivité. Toujours sans leur propre constitution écrite, les Québécois tâtonnent dans l'histoire, faute peut-être d'avoir connu une des expériences les plus formatrices de la citoyenneté. S'il faut mettre tous les Québécois, nés ou adoptifs, en possession du bonheur inappréciable de se gouverner eux-mêmes, et définir le cadre politique de leur coexistence et de leur participation à une citoyenneté commune, il leur faudra fonder un régime nouveau[43].

C'est au long *tâtonnement* dans l'histoire qu'est condamné un peuple québécois aux modestes origines politiques. Seuls les artifices d'une renaissance politique flamboyante (s'incarnant dans l'idéal républicain), à laquelle tous les citoyens pourront se rapporter, sauraient le sortir de sa flânerie séculaire et l'accorder avec les grands idéaux de la liberté et de la participation politique.

Le philosophe James Tully, dans sa remarquable généalogie du constitutionnalisme moderne, nous a pourtant

---

43. Marc Chevrier, «Notre république en Amérique», *Penser la nation québécoise*, p. 157. Dans le texte initialement publié dans *Le Devoir*, Chevrier ajoutait que «tant que l'on cause, le Dominion victorien en profitera pour se maintenir et, à ses yeux, le Québec restera une catalogne d'ethnies et d'individus cousue à la grande toile d'une société libérale, monarchiste et multiculturelle». (Marc Chevrier, «Notre république en Amérique», *Le Devoir*, 10-11 juillet 1999, p. A 11.)

prévenus du danger de réifier et de glorifier les fondements d'un régime politique. Cette référence univoque à un moment fondateur peut entraver l'accommodation interculturelle, aplanir les interprétations du passé et les projections dans l'avenir concurrentes ou minoritaires et, ce faisant, contribuer à la marginalisation de la différence. Le fétichisme de la fondation semble mal adapté aux tissus sociaux marqués par l'hétérogénéité. C'est pourquoi Tully suggère par exemple qu'une constitution soit appréhendée non pas comme un contrat inviolable ratifié dans un passé lointain, mais plutôt comme une série d'accords non définitifs issus de dialogues interculturels ponctuels[44]. En d'autres termes, les assises d'une association politique, selon Tully, ont avantage à être vues comme un cadre souple, lui-même ouvert à la délibération et aux amendements, permettant à des citoyens et à des groupes de débattre des formes de la reconnaissance de leur identité, de la distribution des ressources, du partage des pouvoirs, etc. La dignité et la liberté des citoyens dépendraient donc davantage de la possibilité de modifier les règles du jeu de l'association politique, au rythme où change leur identité, que de la mythification d'un acte politique fondateur. De plus, même si Chevrier a raison d'affirmer que la France est loin d'épuiser ou d'incarner à elle seule l'imaginaire républicain, et qu'il faut peut-être cesser d'être effrayé par le spectre du jacobinisme, la preuve qu'une république pourrait s'édifier au Québec à même le pluralisme de la société québécoise demeure à faire. Si la tradition de l'humanisme civique à laquelle se rattache Chevrier compte plusieurs mérites, force est d'admettre que cette dernière a du mal à composer avec la diversité profonde

---

44. James Tully, *Strange multiplicity*, Cambridge, Cambridge University Press, 1995, p. 26.

des sociétés contemporaines[45]. On ne peut en vouloir à Chevrier de réfléchir sur les conditions d'une plus grande participation politique au Québec, mais il est permis de douter de la capacité de l'idéal républicain qu'il promeut à répondre aux défis posés à une société multiculturelle, multinationale et métissée vivant une modernité profondément marquée par le mouvement, la fragmentation et différentes forces désintégratrices. Rien ne permet d'affirmer, à l'heure actuelle, que des citoyens aux nombreuses différences identitaires puissent se rallier autour d'un événement politique fondateur et rassembleur. Le projet de Chevrier repose sur un sujet politique québécois unitaire que l'on peut fort difficilement dégager de la configuration socioculturelle du Québec contemporain[46].

Même le philosophe Daniel Jacques, bien qu'il se montre plus sensible dans sa réflexion au caractère pluriel et éclaté de l'identitaire québécois, semble lui aussi habité par ce fétichisme de la fondation. Selon lui, « si le Canada et le Québec demeurent des sociétés marquées par la confusion des allégeances, c'est que leur destin respectif se déploie à partir d'une absence de fondement[47] ». Jacques considère donc que c'est par une « fondation réussie », c'est-à-dire « un événement qui ait sens et légitimité aux yeux de tous les citoyens et qui constitue un moment d'origine, l'amorce d'une nouvelle mémoire », que les différentes communautés nationales du Québec pourront former, par-delà le ressentiment, une véritable commu-

---

45. Les travaux en philosophie politique de Charles Taylor sont peut-être l'exception qui confirme la règle à cet égard.
46. Voir Jacques Beauchemin, « Défense et illustration d'une nation écartelée », *Penser la nation québécoise*, p. 267.
47. Daniel Jacques, « Des "conditions gagnantes aux conditions signifiantes" », *Penser la nation québécoise*, p. 79.

nauté politique[48]. Bien qu'il s'agisse là d'un noble projet, on voit mal encore une fois comment des citoyens possédant des identités plurielles pourront en venir à s'entendre définitivement sur les termes d'un tel pacte solennel. Encore une fois, il semble plus réaliste d'affirmer avec Tully que «[l]e type de société qui, au XXIe siècle, saura combiner liberté et stabilité, ne sera pas celui animé par le désir de fonder son système de reconnaissance sur un consensus social, mais plutôt celui qui permettra la contestation et la modification perpétuelles des règles constitutionnelles en vigueur[49]». J'explorerai cette position davantage au chapitre 4.

Ce long détour me permet de rendre patente l'originalité de la réflexion politique de Létourneau dans le contexte intellectuel québécois. En effet, l'historien propose dans ses travaux sur le Québec contemporain une conception du politique et de la démocratie que l'on peut qualifier d'*agonique*. Contrairement à la majorité des penseurs étudiés ici, Létourneau ne cherche pas les conditions de possibilité d'une réconciliation nationale ou de la création d'un consensus social. Il tente plutôt d'échafauder une conception du politique qui prend acte des tensions (et non des antagonismes) irréductibles qui meublent les relations entre les différentes communautés au Québec.[50] À l'instar de Tully, Létourneau conçoit les

---

48. *Ibid.*, p. 76.
49. James Tully, «Liberté et dévoilement dans les sociétés multinationales», *Globe. Revue internationale d'études québécoises*, *op. cit.*, p. 16.
50. «Le défi qui s'offre à ceux qui entendent reformuler la représentation globale du Québec n'est pas de parvenir à une vision univoque de la nation, hier, aujourd'hui et demain. L'historicité québécoise est fondée sur une tension irréductible entre les composantes de la société québécoise au même titre que la condition identitaire des Franco-Québécois repose sur l'ambivalence d'être

politiques de l'identité et de la reconnaissance comme toute autre forme de politique, c'est-à-dire comme une activité permanente vouée à la réduction des conflits et au dégagement de compromis toujours précaires[51]. Les communautés nationales du Québec, selon l'historien, n'ont pas besoin de converger vers un acte fondateur producteur d'unanimité, mais bien d'un espace public où les différentes authenticités pourront se rencontrer, échanger, s'entendre sur certaines orientations de la société québécoise, manifester leur désaccord, critiquer des positions adoptées ou défendues par les autres membres, etc. Le *telos* d'une telle activité agonique n'est donc pas l'entente définitive sur les termes de l'association politique et sur les conditions de reconnaissance mutuelle. Il s'agit plutôt de créer un espace de délibération qui permettra aux groupes et aux citoyens de dévoiler leurs revendications identitaires et politiques et, corrélativement, de se faire entendre par les autres membres de la société. La communauté politique québécoise est ainsi appréhendée comme un processus ouvert, entretenant un rapport dynamique avec ses origines (plutôt que titubant sous le poids de l'histoire) et déjà bien inscrite dans la «normalité». Létourneau pense le Québec

comme une communauté en évolution continuelle, en tension permanente avec la société et les socialités sur lesquelles elle s'élève et qu'elle inspire et dément tout à la fois. Comme une communauté n'étant ni achevée, ni inachevée. Comme une communauté à la trajectoire non théorisable et non prévisible. Comme une communauté aux frontières continuellement franchies par ses «sujets».

du groupement.» Jocelyn Létourneau, «Assumons l'identité québécoise dans sa complexité», *Le Devoir*, 7-8 août 1999, p. A 9.
51. James Tully, «Liberté et dévoilement dans les sociétés multinationales», p. 14-15.

> Comme une communauté déterminée par l'histoire plutôt que la déterminant. Comme une communauté existant comme un processus ouvert plutôt que renvoyant à une graine originelle plantée par les ancêtres et appelant un quelconque avenir de continuité[52].

Létourneau s'élève donc à la fois contre ceux qui embrigadent le Québec dans une philosophie de l'histoire et ceux qui croient en la nécessaire refondation du Québec. Plutôt que de la vilipender, l'historien reconnaît l'ambivalence identitaire des Franco-Québécois et tente d'esquisser une conception de la démocratie qui s'enracine dans la complexité de l'identité québécoise.

Bien qu'ils puissent se réclamer d'une filiation certaine avec Laurendeau, Laforest et Létourneau se trouvent en discontinuité narrative avec les principaux auteurs mélancoliques. Les deux professeurs de l'Université Laval esquissent et défendent dans leurs travaux une nouvelle représentation de nous-mêmes. Ils nous permettent en quelque sorte de nous «déprendre» de la narration tragique de la condition identitaire québécoise. Comme Foucault, Laforest et Létourneau voient la conquête de la maturité comme une tâche incessante, jamais complètement réalisée et jamais complètement réalisable. À cet égard, le peuple québécois n'est pas différent, c'est-à-dire pas plus immature, que les autres peuples. De plus, avec Létourneau et Laforest, l'appartenance duale ou l'ambivalence d'êtres partagée par une bonne majorité de Québécois n'est plus considérée comme une sorte de défectuosité héréditaire. Or cette acceptation est presque une hérésie au sein du nationalisme québécois. Même Gérard Bouchard a choisi, dans son livre sur la nation québécoise,

---

52. Jocelyn Létourneau, «Pour une révolution de la mémoire collective», p. 47.

d'éluder le fait que le Canada constitue une filière identificatrice importante pour une forte majorité de Québécois. Une fois de plus, la double identification est perçue comme une caractéristique dont il faut se départir par l'expédient d'une nation québécoise devenue l'unique lieu identitaire des Québécois. En plus de demander aux Québécois francophones de sacrifier l'une de leurs communautés d'appartenance, la voie proposée par Bouchard peut difficilement répondre aux attentes légitimes de la communauté anglophone du Québec et des Premières Nations. Si, pour Bouchard, les nations autochtones et la communauté anglophone sont cordialement invitées à participer à l'élaboration de la société québécoise de demain ainsi qu'à la réécriture de sa mémoire, celles-ci doivent implicitement faire leur deuil de leur principale identification nationale actuelle. En rejetant la thèse «plurinationale[53]», l'historien et sociologue propose un pacte *a priori* inacceptable aux yeux des minorités nationales du Québec. Or il y a pourtant moyen de penser une nation québécoise inclusive où il est possible d'appartenir à plus d'une nation à la fois, et où le politique ne tente pas de hiérarchiser ou de supprimer les différentes affiliations identitaires de ses citoyens; une nation québécoise qui, ce faisant, n'imposera pas à ses minorités nationales un traitement semblable à celui qu'elle a subi au sein de la fédération canadienne depuis 1982. Avec Dimitrios Karmis, il me semble possible de penser une nation québécoise qui ne serait ni le cumul de différentes enclaves ethniques, ni l'unique objet d'identification nationale de la part de ses membres[54].

---

53. Gérard Bouchard, *La nation québécoise au futur et au passé*, Montréal, VLB éditeur, 1999, p. 46-61.
54. Dimitrios Karmis et Jocelyn Maclure, «Two Escape Routes from the Paradigm of Monistic Authenticity: Post-Imperialist and

L'originalité et l'importance de la pensée de Laforest et de Létourneau, dans la présente étude, tient au fait que tout en faisant une critique percutante du discours sur la normalité et la maturité nationales, ceux-ci n'épousent pas pour autant les thèses défendues par les intellectuels antinationalistes québécois. Laforest et Létourneau considèrent tous les deux que la nation demeure un référent identitaire fondamental pour le développement de l'identité[55]. Évidemment, leur vision du Québec comporte plusieurs divergences. D'un côté, Laforest considère que la

---

Federal Perspectives on Plural and Complex Identities», *Ethnic and Racial Studies*, à paraître, 2001.

55. Pour quelqu'un comme Laurent-Michel Vacher, cette compréhension souple et polysémique du nationalisme est en fait une fourberie et un exemple de duplicité. En comparant le «pseudo»-nationalisme des intellectuels québécois à une interprétation moniste, primordialiste et doctrinaire du nationalisme, le philosophe en vient logiquement à la conclusion que «plus personne ou presque n'est vraiment – ou du moins ouvertement – nationaliste au Québec». Si, à partir de telles prémisses, on comprend assez bien le raisonnement de Vacher, il est beaucoup plus difficile de saisir pourquoi ce dernier récuse ce qu'il nomme le «pluralisme conceptuel» et s'en prend à toute tentative de reconfigurer le langage du nationalisme à l'aune de phénomènes contemporains tels que la mondialisation et la multiplication des axes d'identification collective. Vacher fait comme si le nationalisme n'était pas un (jeu de) langage que l'on peut modifier, altérer, transfigurer. Or on peut opposer à la compréhension doctrinaire du nationalisme de Vacher une interprétation plus wittgensteinienne qui tente de saisir comment le langage du nationalisme se transforme à la rencontre du libéralisme, du pluralisme et de la mondialisation. Voir Laurent-Michel Vacher, «Souverainisme sans nationalisme : la nouvelle trahison des clercs?», *Argument*, volume 2, numéro 1, automne 1999, p. 9-17. Pour la contrepartie, voir l'argumentaire de Michel Seymour en faveur du pluralisme conceptuel dans «Quebec and Canada at the crossroads : a nation within a nation», *Nations and Nationalism*, volume 6, numéro 2, avril 2000, p. 227-256.

légitimité et la vitalité de l'option souverainiste ne tiennent plus à une entreprise de désaliénation collective, mais davantage à l'instauration d'un (quasi)fédéralisme unitariste et d'une politique de non-reconnaissance systématique à l'endroit de la spécificité du Québec. Le rêve canadien des Québécois ayant tourné au cauchemar, Laforest considère que ceux-ci, après avoir épuisé tous les recours politiques et juridiques «ordinaires», devront peut-être se replier sur la formulation d'un projet de souveraineté-partenariat ouvert et pluraliste[56]. De l'autre côté, Létourneau remet l'impasse constitutionnelle canado-québécoise dans la longue durée et opine qu'avec moins de dogmatisme, et davantage de «raison accommodante», la vision québécoise de la canadianité a encore une chance de s'imposer. Il faut, selon l'historien, permettre aux nouvelles générations de réussir là ou les générations précédentes ont échoué. Ces divergences sont sans conséquences sur ma tentative de tracer l'épure d'une tradition interprétative alternative. L'important était de montrer que ceux qui désirent jeter les bases d'une interprétation de l'identité québécoise qui sorte des confins du débat séculaire entre nationalistes mélancoliques et antinationalistes peuvent eux aussi se rattacher à une tradition de pensée certes minoritaire, mais bien vivante au Québec. C'est à cette tâche que je m'attellerai au chapitre 4. Avant d'en arriver là, il importe toutefois d'explorer l'autre terme de ce débat séculaire, c'est-à-dire la contrepartie du discours nationaliste et mélancolique exposé jusqu'ici.

---

56. Guy Laforest, «Nécessité et conditions du dialogue», *Sortir de l'impasse. Les voies de la réconciliation*, G. Laforest et R. Gibbins (dir.), Montréal, Institut de recherche en politiques publiques, 1998, p. 456-459.

CHAPITRE 3

L'identité dans les simples limites de la raison : antinationalisme et universalisme politique dans la pensée québécoise

L'exploration topographique des figures de l'identitaire québécois m'a amené jusqu'ici à examiner un discours national-mélancolique fondé sur la représentation d'une identité québécoise stigmatisée par son passé, flânant dans les marges de l'Histoire, engluée dans une interminable quête de normalité et de maturité. Un Québec dépressif, à la conscience parfois tressaillante, parfois engourdie, se trouvant dans un état de vigile permanent. Il s'agit là d'une narration historique psychodramatique qui a servi et qui sert toujours de point de repère à toute une gamme d'intellectuels, d'artistes, de politiciens et autres citoyens désireux de rendre l'expérience québécoise un peu plus intelligible et significative. Par le fait même, ces Québécoises et Québécois s'*écrivent* et se *produisent* une identité. Comme je l'ai mentionné en introduction, l'existence et la persistance d'une identité ne peuvent être dissociées de sa mise en récit dans des discours plus ou moins cohérents. Il n'y a de réalité qu'*interprétée*. Avec les principaux philosophes se situant dans la tradition herméneutique, il faut affirmer que les identités ne sont pas des données objectives, empiriques qu'il suffit de cueillir avec les instruments neutres et aseptisés de la science, mais bien des interprétations de l'expérience vécue et ressentie, temporalisées et structurées dans des récits qui lient et ordonnent le passé, le présent et l'avenir d'une collectivité[1].

Contre les intellectuels qui postulent que les identités sont en fait créées de toutes pièces par des élites (nationalistes) et passivement endossées par des peuples inertes et facilement manipulables, il faut aussi affirmer la capacité de résistance, de transgression et de transvaluation de ceux et celles qui portent et affirment ces identités[2]. Derrière le postulat de l'imposition des identités se dissimule une conception de l'intellectuel comme sentinelle qui doit s'affairer à faire sursauter des consciences subjuguées par la perfidie nationaliste. Or la narration mélancolique et nationaliste de l'identité québécoise ne s'est jamais trouvée en position de monopole. Comme nous l'avons vu au

---

1. Dans un texte sans doute peu connu au Québec, Maurice Charland, professeur en communication à l'Université de Concordia, nous offre une illustration intéressante de la textualité des identités. On peut certes contester l'idée du professeur Charland voulant que l'identité québécoise fut créée, *grosso modo*, par la rhétorique indépendantiste des années 70, dont on retrouve l'épitomé dans le livre blanc de 1979. L'immersion dans les travaux des auteurs étudiés ici nous montre que la création de l'identité québécoise procède d'une trame beaucoup plus vaste et éclatée que la seule articulation de l'argumentation indépendantiste. Malgré cela, en s'attardant au pouvoir constitutif des discours rhétoriques ainsi qu'à la capacité des sujets à modifier et à transfigurer les narrations dominantes de l'identitaire, Charland nous aide à comprendre le processus de création de l'identité québécoise et des identités collectives en général. Voir Maurice Charland, « Constitutive Rhetoric : The Case of the *Peuple Québécois* », *The Quarterly Journal of Speech*, volume 73, numéro 2, mai 1987, p. 133-150.
2. Sur la relation entre le nationalisme et le peuple qui l'endosse, voir les éclaircissements de Charles Taylor dans « Nationalism and Modernity », *The Morality of Nationalism*, R. McKim and J. McMachan (dir.), New York et Oxford, Oxford University Press, 1997, p. 31-55.

chapitre précédent, des auteurs comme Laurendeau, Laforest et Létourneau ont critiqué l'orthodoxie nationaliste et contribué à l'articulation d'un langage capable de prendre en considération le sentiment d'appartenance dual des Québécois. En d'autres termes, ils ont opposé à une narration aux velléités hégémoniques une narration alternative. Une narration dans laquelle se reconnaît d'ailleurs, comme j'ai essayé de le démontrer dans la dernière section du chapitre 1, une partie de la relève intellectuelle québécoise. De plus, entre le nationalisme défensif de Groulx et l'indépendantisme de *Parti pris*, l'antinationalisme et l'individualisme libéral des premiers citélibristes s'étaient déjà aménagé une place de choix dans la conscience des Canadiens français. Dans la même veine, malgré le grand rayonnement intellectuel des thèses soutenues par l'école historiographique de l'Université de Montréal, la lecture du passé québécois promue par cette dernière était loin de faire l'unanimité. Comme nous le rappelle Ronald Rudin, les historiens de l'Université Laval, contemporains des Frégault, Brunet et Séguin, ont défendu une interprétation tout autre du passé québécois, rejetant la lecture cataclysmique de la Conquête et du régime anglais[3].

Aujourd'hui encore, des intellectuels réputés et prolifiques comme René-Daniel Dubois, Marc Angenot, Jean-Pierre Derriennic, Nadia Khouri et Régine Robin contestent âprement le discours et la politique nationalistes au Québec[4]. C'est pourquoi l'on ne peut que rester perplexe

---

3. Ronald Rudin, «Peut-être était-ce notre faute : l'école de Laval», *op. cit.*, p. 153-198.
4. Seront donc étudiés, dans ce chapitre, non pas les auteurs dis *fédéralistes*, mais bien *antinationalistes*. Nul besoin de préciser que l'on peut très bien être à la fois fédéraliste et nationaliste. C'est peut-être même dans cette double allégeance que s'incarne le mieux l'esprit fédéral.

devant le diagnostic posé par Angenot et Khouri voulant que sévisse au Québec un état de censure permanent. Selon eux, «[s]'il y a bien une expression qui se transpose et s'applique bien au Québec, c'est celle de *Pensée unique*. [...] Pensée unique : omniprésence du nationalisme obsessionnel qui sert de pierre de touche à la majorité des chroniqueurs, *québécocentrisme* en forme d'œillères face au vaste monde, manichéisme infantile du "nous/eux autres", du "Canada anglais vs Québec"[5]...» Même si leur présence est une constante dans l'histoire des idées québécoises depuis le milieu du XXe siècle, les intellectuels antinationalistes québécois seraient l'exception qui confirme la règle de la pensée unique. Le célèbre «feu l'unanimité», écrit par Gérard Pelletier dans un tout autre contexte il y a maintenant près de 40 ans, résonne encore dans les oreilles des antinationalistes d'aujourd'hui. Seule une poignée de clercs n'auraient pas «trahi» leur vocation et seraient demeurés suffisamment lucides pour rejeter l'interpellation nationaliste. Nos intellectuels éclairés seraient les seuls immunisés contre la contagion nationaliste.

Or le totalitarisme qui sévit au Québec est tellement *soft* qu'il est possible pour un intellectuel d'exprimer sa dissension dans une pléiade de lieux et de forums voués aux débats d'idées[6]. Ce chapitre devrait d'ailleurs servir à

---

5. Marc Angenot et Nadia Khouri, «Les médias québécois et la Pensée unique», *Cité libre*, volume XXVII, numéro 3, été 1999, p. 6-7. Dans la même veine, voir Marc Angenot, «Les intellectuels nationalistes et la Pensée unique», *Le Devoir*, 19 juillet 1996, p. A 9.
6. Évidemment, on peut regretter que certaines réponses aux thèses défendues par des gens comme Hélène Jutras, René-Daniel Dubois, Esther Delisle, Mordecai Richler, Jean-Louis Roux, Guy Bertrand, Stéphane Dion et Marc Angenot aient parfois versé dans l'invective et l'inflation identitaire. Toutefois, cela ne change rien au fait que toutes ces personnes ont vu leurs idées largement diffusées dans les pages idées des journaux, à la radio et à la télévision

montrer la vitalité de la critique de l'idéologie nationaliste au Québec. En effet, les intellectuels nationalistes ont toujours eu à se colleter avec des opposants rigoureux et cohérents. Bien sûr, il est légitime de souhaiter l'amorce d'un dialogue véritable au Québec entre les tenants les plus sérieux des deux positions (qui comptent elles-mêmes plusieurs variantes). Trop souvent, ce sont les plus radicaux et les moins subtils des paroliers qui se font face. Le *telos* d'une telle rencontre n'est évidemment pas l'élucidation réciproque foucaldienne, mais bien la délégitimation d'un adversaire à éliminer, à expulser de l'espace démocratique. On polémique au lieu de se mettre en jeu. Les hauts cris remplacent l'échange de perspectives et de propositions. Nul autre choix que d'élever la voix lorsque l'autre fait la sourde oreille[7]. On ne peut que souhaiter que les nouveaux intellectuels québécois adopteront une tout autre attitude et s'engageront sur la voie d'une véritable éthique du dialogue.

---

d'État. La majorité de ces auteurs ont d'ailleurs trouvé des maisons d'éditions qui, attirées par la polémique, ne demandaient pas mieux que de publier leurs écrits. Qui plus est, même si l'inflation identitaire pratiquée systématiquement par une minorité de nationalistes peut à juste titre exaspérer, cette position mérite elle aussi de se faire entendre. Dans la polyphonie des voix qui s'élèvent actuellement au Québec, la surenchère identitaire n'est qu'une voix parmi d'autres.

7. Au sujet de ce «dialogue de sourds», voir les remarques fort judicieuses d'Alain Roy dans «Identité et ressentiment», *Liberté*, volume 40, numéro 2, avril 1998, p. 90-121.

TRUDEAU ET LA CRITIQUE
DE L'(IR)RAISON NATIONALISTE

La place de *Cité libre* dans l'histoire récente du Québec est bien connue. Cette revue fut l'un de ces rares espaces où se sont mobilisés des intellectuels aux perspectives et profils divers afin de combattre un mal commun : l'autoritarisme et le conservatisme clérical de l'ère duplessiste. Sans doute la structuration temporelle de notre histoire répond-elle plus à des impératifs identitaires et narratifs qu'à une mutation radicale de notre condition historique. La pénombre duplessiste n'a pas fait place à la lumière de la modernité dans le seul intermède du gouvernement Sauvé. Tout au long du XXᵉ siècle, des mutations politiques, économiques et culturelles lentes et progressives ont pavé la voie à la modernisation accélérée des années 60[8]. Malgré cette mise en garde salutaire émise par certains de nos historiens, sociologues et politologues, il n'en demeure pas moins que les intellectuels qui se sont rassemblés autour de la revue *Cité libre* éprouvaient jusqu'au plus profond d'eux-mêmes la frilosité, le conservatisme, le traditionalisme et le cléricalisme de la société canadienne-française. C'est pour lutter contre cette fixation de l'identité canadienne-française dans des catégories rétrogrades, contre l'amalgame entre le politique et le spirituel, contre la corruption politique systématique et contre l'exploitation du prolétariat francophone que des penseurs aussi différents que Gérard Pelletier, Pierre Trudeau, Fernand Dumont, Marcel Rioux, Jean-Marc Léger, Gilles Marcotte, Charles Taylor, Adèle Lauzon, René Lévesque, Pierre Vadeboncœur, Pierre Vallières et

---

8. Voir Kenneth McRoberts, « La thèse tradition-modernité : l'historique québécois », *Les frontières de l'identité*, p. 29-45.

tant d'autres ont fait front commun dans les pages de *Cité libre*. Les collaborateurs à la revue ont offert de nouvelles représentations d'elle-même à une société qui en avait décidément bien besoin.

Encore une fois, il est impossible de faire un monolithe avec la pensée des auteurs susmentionnés. *Cité libre* ne réunissait « pas des esprits, mais des hommes » aux perspectives souvent opposées[9]. Au ferment d'unité qui rassemble les textes des citélibristes se superpose une multiplicité de vues et de préoccupations. J'ai par conséquent choisi de me concentrer uniquement sur certains des textes de Pierre Elliott Trudeau. Même les contributions d'un Gérard Pelletier, celui qui éprouvait sans doute la plus grande proximité d'esprit avec Trudeau, ne semblent pas loger exactement à la même enseigne que celle de l'ancien premier ministre du Canada. Par exemple, jetant un regard rétrospectif sur les débuts de *Cité libre*, Pelletier affirmait que, malgré son opposition au « nationalisme culturel », la revue ne défendait pas « l'individualisme libéral »[10]. Or cet individualisme libéral est certes devenu le prisme théorique à travers lequel Trudeau appréhendait et appréhende toujours la réalité. Lorsque André-J. Bélanger affirme que « la revue atteint assez rapidement l'homme universel à la suite d'un processus de décloisonnement progressif » et que « [c]e faisant, elle lui retire une appartenance collective et le projette seul face à lui-même ou à une image de l'homme idéal », il se réfère principalement aux textes de Trudeau, la figure

---

9. Gérard Pelletier, « *Cité libre* confesse ses intentions », *Cité libre : une anthologie*, p. 23.
10. Gérard Pelletier et Yvan Lamonde, « Introduction », *ibid.*, p. 13. L'individualisme libéral, alors associé à une posture irréligieuse, ne pouvait être endossé par les fondateurs de *Cité libre*, qui s'inspiraient largement du personnalisme d'Emmanuel Mounier.

dominante de la première génération de *Cité libre*[11]. Nul doute que le « rationalisme libéral » ou « l'atomisme » que relève Bélanger avec justesse dans les pages de *Cité libre* caractérisent assez mal la pensée d'un Dumont ou d'un Taylor.

La lecture des écrits de jeunesse de Trudeau est particulièrement frappante et étonnante pour quelqu'un qui a connu Trudeau à la fin de sa carrière politique et, notamment, à travers sa croisade contre l'Accord du lac Meech. Le gouffre séparant l'intellectuel et le politicien semble immense. Rien de plus normal, répondra-t-on à celui qui s'est donné la peine de revisiter l'une des pensées les plus riches de l'histoire des idées politiques québécoises. Alors que l'intellectuel opère dans la sphère réflexive de la distanciation critique, le politicien s'agite et se débat dans l'univers de la *doxa*, de l'opinion, de la publicité, de l'éphémère. S'il y a quelque chose de vrai dans cette distinction, celle-ci semble toutefois révéler une conception idéalisée et potentiellement dépassée du rôle et de la posture de l'intellectuel. Il n'en demeure pas moins que, chez Trudeau, des convictions qui frôlent le dogmatisme semblent s'être édifiées sur les cendres d'une pensée riche en subtilités et en nuances.

Avec des historiens comme Marcel Trudel, Jean Hamelin et Fernand Ouellet, Trudeau fut l'un des plus farouches opposants au courant néo-nationaliste fondé par les historiens de l'Université de Montréal dans les années 50. Jamais Trudeau n'a corroboré la thèse voulant que la responsabilité de la déchéance historique des Canadiens français soit imputée aux Canadiens anglais. Il a toujours trouvé « un peu énormes les prétentions de nos

---

11. André-J. Bélanger, *op. cit.*, p. 81.

nationalistes, à l'effet qu'à peu près tous nos retards étaient la "faute des Anglais"[12]». Trudeau ne va pas pour autant jusqu'à nier la difficile acceptation et accommodation du fait francophone au Canada. En plus de lutter farouchement contre l'unilinguisme canadien, il fut même un temps où Trudeau s'indignait des tentations absolutistes du gouvernement fédéral. Selon lui, Ottawa ne pouvait ignorer et envahir impunément les domaines de juridiction qui appartenaient aux provinces[13]. Il arguait même que le nationalisme canadien-britannique, « méprisant » à plus d'un égard, « engendra, comme c'était inévitable, le nationalisme canadien-français[14] ». Imbu de la pensée des Montesquieu, Locke et Tocqueville, Trudeau avait fait du principe de l'équilibre des pouvoirs, des poids et contrepoids, l'idée maîtresse de sa pensée politique. Conséquemment, l'amenuisement de la capacité de résistance et d'opposition des provinces qui se profilait derrière les velléités centralisatrices du gouvernement fédéral a projeté le citélibriste dans le camp des défenseurs de l'autonomie provinciale. Dans *Le fédéralisme et la société canadienne-française*, qui demeure son ouvrage le plus important, Trudeau se fait même le promoteur d'un fédéralisme *coopératif* où le dialogue et le respect des prérogatives des uns et des autres devaient animer les relations entre les différents paliers de gouvernement[15].

---

12. Pierre Elliott Trudeau, « L'aliénation nationaliste », *Cité libre. Une anthologie*, p. 123.
13. Pierre Elliott Trudeau, « Le Québec et le problème constitutionnel », *Le fédéralisme et la société canadienne-française*, Montréal, HMH, 1967, p. 11.
14. Pierre Elliott Trudeau, « La nouvelle trahison des clercs », *Cité libre. Une anthologie*, p. 152.
15. Pierre Elliott Trudeau, « De libro, tributo ... et quibusdam aliis » et « La pratique et la théorie du fédéralisme », in *op. cit.*

Aiguillonnée par l'unique désir de faire contrepoids, cette critique du quasi-fédéralisme canadien ne faisait évidemment pas de Trudeau un nationaliste canadien-français. Il n'est probablement pas exagéré d'affirmer que Trudeau l'intellectuel abhorrait tous les nationalismes en général et le nationalisme canadien-français en particulier. Ainsi que je l'ai dit, il était particulièrement indisposé par la propension des néo-nationalistes canadiens-français à se décharger de la responsabilité des « retards » et des déficiences de leur société. Il refusait par exemple de voir dans la Conquête un traumatisme suffisamment puissant pour anesthésier la volonté et la conscience des francophones du Québec. L'annexion des Canadiens français à l'empire britannique en 1763 ne changeait rien au fait que les francophones disposaient des moyens, en vertu même de la division des pouvoirs définie dans l'Acte de l'Amérique du Nord britannique, pour faire face aux défis posés par la modernité politique :

> Que la Conquête ait été ou non à l'origine de tous les maux, et que « les Anglais » aient été ou non les occupants les plus perfides de mémoire d'homme, il n'en restait pas moins que la communauté canadienne-française tenait en mains *hic* et *nunc* [dès le début des années cinquante] les instruments essentiels de sa régénération : de par la constitution canadienne, l'État québécois pouvait exercer les pouvoirs les plus étendus sur l'âme des Canadiens-français et sur le territoire où ils vivaient, – le plus riche et le plus vaste de toutes les provinces canadiennes[16].

Selon Trudeau, le parti pris de *Cité libre* ne résidait pas dans la négation des humiliations vécues et ressenties par les Canadiens français, mais plutôt dans une démarche de

---

16. Pierre Elliott Trudeau, « L'aliénation nationaliste », p. 123.

conscientisation et de responsabilisation. Il importait davantage aux citélibristes, selon Trudeau, de participer à la modernisation de l'État, de la démocratie et de l'économie au Québec que d'ajouter des couplets à un chant mélancolique qui leur paraissait déjà interminable. Dans la même veine, les Canadiens français, avant de se quereller avec Ottawa pour l'obtention de nouvelles compétences, devaient apprendre à user de façon optimale les pouvoirs et les ressources qui leur étaient déjà conférés. Bref, le néo-nationalisme canadien-français s'alimentait à même l'énergie nécessaire à la modernisation du Québec. Transvaluant les idées reçues, Trudeau soutenait que le nationalisme prétendument émancipateur était, en fait, source d'aliénation. Le nationalisme « aliénait dans des combats contre l'autre des forces qui eussent été mille fois requises contre les premiers responsables de notre indigence généralisée : nos soi-disant élites[17] ».

Trudeau n'en a pas uniquement contre les nationalismes canadien-français et québécois. Il lui apparaît aussi que le nationalisme comme rapport à soi et aux autres est une aberration théorique. Transi par l'héritage des Lumières, Trudeau considère que la maison de l'homme n'est pas la nation, mais bien la raison. À première vue, le nationalisme que Trudeau associe à une encoche à la marche de la raison dans l'Histoire n'est pas que « le simple sentiment d'appartenance à une nation », mais bien la nécessaire fusion de l'État et de la nation[18]. Trudeau ne croit pas que la normalité et la maturité politique s'incarnent nécessairement dans l'État-nation. Par exemple, il considère avec raison que le fédéralisme sied mieux aux sociétés

---

17. *Ibid.*, p. 125.
18. Pierre Elliott Trudeau, « Fédéralisme, nationalisme et raison », *Le fédéralisme et la société canadienne-française*, p. 202.

plurielles que le modèle stato-national. Nul besoin de chercher noise à Trudeau sur ce point. Sans signifier pour autant la fin de la souveraineté, les nombreux processus de fédéralisation qui marquent notre modernité avancée montrent bien que l'ère où les États-nations dominaient et ordonnaient l'ordre international est révolue. On assiste toutefois à plusieurs glissements dans la sémantique déployée par l'ancien premier ministre. En effet, Trudeau passe souvent de la critique de la normalité et de l'universalité de l'État-nation à une attaque frontale contre la nation et le nationalisme entendu comme sentiment d'appartenance et d'identification à une nation.

La désormais célèbre diatribe de Trudeau contre l'intelligentsia nationaliste québécoise du début des années 60 nous offre un bon exemple de ce genre de dérapage qui ponctue sa pensée politique. Dès le début de sa « nouvelle trahison des clercs », tout de suite après une épigraphe qui nous dévoile un Julien Benda tout droit sorti de la pensée du XVIIIᵉ siècle, Trudeau opine que « [c]e n'est pas l'idée de nation qui est rétrograde, c'est l'idée que la nation doive nécessairement être souveraine[19] ». Un peu plus loin, par un subtil glissement sémantique, Trudeau délaisse l'État-nation et manifeste son agacement envers l'idée même de *nation* : « le concept de nation, qui donne si peu de priorité à la science et à la culture, ne peut pas placer plus haut que lui-même dans l'échelle de valeurs la vérité, la liberté et la vie même. C'est un concept qui pourrit tout [...][20] » D'autres écrits de l'ancien premier ministre canadien nous confirment sa profonde insatisfaction à l'égard des concepts de nation et de nationalisme. L'esprit de Trudeau, fils des Lumières, carbure aux idéaux de liberté individuelle,

---

19. Pierre Elliott Trudeau, « La nouvelle trahison des clercs », p. 141.
20. *Ibid.*, p. 147.

d'autonomie, de justice et d'égalité (entendues comme des valeurs universelles et toujours identiques à elles-mêmes). À l'image de certains philosophes libéraux anglo-saxons de la deuxième moitié du XXe siècle, Trudeau est resté opaque aux critiques de la raison issues de divers horizons théoriques depuis Kant, le dernier véritable *Aufklärer*. Aux yeux de l'ancien citélibriste, le nationalisme ne serait rien de moins qu'une ruse de la raison. Le nationalisme tendrait en quelque sorte des embuscades au grand déploiement de la Raison dans l'Histoire. Cette association entre nationalisme et irrationalité n'est nulle part plus patente chez Trudeau que dans son article éloquemment intitulé « Fédéralisme, nationalisme et raison ». Il ne fait aucun doute dans l'esprit de Trudeau que lorsque les peuples de la terre seront suffisamment matures et éclairés, le nationalisme comme conception du monde se délitera et s'amoncelera avec les déjà nombreux résidus de l'histoire :

> Tout comme l'esprit de clan, le sens de la tribu et même l'esprit féodal, le nationalisme s'évanouira probablement de lui-même lorsque la nation aura survécu à sa propre utilité, c'est-à-dire lorsque les valeurs particulières redevables à l'idée de nation auront cessé d'être tenues pour importantes ou lorsque ces valeurs n'auront plus besoin de la nation pour subsister[21].

Dans la même veine, Trudeau a bon espoir que « dans les sociétés avancées, le nationalisme deviendra aussi désuet que le droit divin des rois[22] ». Bref, dans la philosophie de l'Histoire linéaire mais tortueuse de Trudeau, le

---

21. Pierre Elliott Trudeau, « Fédéralisme, nationalisme et raison », p. 201.
22. *Ibid.*, p. 207. Dans la même veine, Trudeau suggère qu'avec le progrès de la raison, « le nationalisme devra disparaître comme un outil rustique et grossier ». (*Ibid.*, p. 214.)

nationalisme périclite au rythme où la raison progresse, se dévoile et s'actualise. Alors que le fédéralisme repose sur une fondation rationnelle, le nationalisme puise son pouvoir d'attraction à même l'immaturité, l'insécurité et l'émotivité des individus. La tâche de l'intellectuel éclairé est donc de démystifier le rôle de la nation et du nationalisme dans le façonnement de l'identité personnelle. Comme nous le verrons plus loin avec Angenot et Derriennic, cette entreprise de démystification fut sans cesse reprise par les intellectuels antinationalistes.

Ce que Trudeau appelle la « froide raison » doit donc être opposé au pouvoir mystificateur du nationalisme. Cet « avènement de la raison dans la politique » constitue pour Trudeau une « promesse de droit ». La loi serait en effet « une tentative de régler la conduite des hommes en société selon la rationalité plutôt que selon les émotions[23] ». Formé à l'école du libéralisme politique classique, Trudeau se réfère ici aux seuls droits individuels. Rationnel, l'individu n'a besoin que d'une liberté « négative », c'est-à-dire l'assurance que ses droits et libertés ne seront pas arbitrairement entravés, pour s'émanciper et se réaliser à part entière comme agent humain[24]. Seuls les faibles, selon Trudeau, ont de toute façon besoin de jouir de droits collectifs. D'où l'opposition de Trudeau à l'octroi d'un quelconque statut particulier au Québec à l'intérieur de la fédération canadienne ; opposition qu'il a d'ailleurs maintenue et affirmée tout au long de sa vie. D'une part, l'ancien premier ministre considère qu'il y a

---

23. *Ibid.*, p. 209.
24. Pour une critique de cette conception de la liberté, voir Charles Taylor, « Qu'est-ce qui ne tourne pas rond dans la liberté négative ? », *La liberté des modernes*, Paris, Presses universitaires de France, 1997, p. 255-284.

une antinomie entre la définition d'un statut particulier pour le Québec et l'application d'une citoyenneté universelle et indifférenciée. D'autre part, il allègue que la revendication d'un statut spécial ou de droits collectifs pour le Québec trahit en fait la survivance du vieux complexe d'infériorité canadien-français. Or Trudeau refuse de faire aux Québécois «l'injure de prétendre que leur province pour progresser au sein de la Confédération a besoin d'un traitement de faveur[25]». Le Québec n'a pas besoin de «béquilles» pour s'inscrire dans une modernité politique et économique aux multiples tribulations[26]. Je reviendrai plus loin dans ce chapitre sur ce qui me semble être une mauvaise interprétation du rôle des droits collectifs dans le contexte des nations minoritaires.

En plus de nourrir la pusillanimité chronique des Québécois, les droits collectifs ne peuvent être implantés, selon Trudeau, qu'au prix de la suppression des droits individuels des minorités et des individus dissidents. En fait, Trudeau considère que les droits collectifs sont par définition ethnocentriques. Voués à la préservation et à la promotion de traits linguistiques et culturels particuliers, les droits collectifs constituent une entrave à l'établisse-

---

25. Pierre Elliott Trudeau, «Le Québec et le problème constitutionnel», p. 40.
26. «Et c'est pour cela que je grogne lorsque j'entends certaines voix réclamer un statut particulier, comme si nous avions besoin de béquilles, comme si nous n'étions pas assez intelligents, comme si nous étions incapables de protéger notre propre langue. Eh bien, il n'existe pas de béquilles lorsque vient le temps d'affronter le monde. Il faut simplement se lancer dans la mêlée et se battre.» (Pierre Elliott Trudeau, *Trudeau : l'essentiel de sa pensée politique*, avec la collaboration de Ron Graham, Montréal, Le Jour éditeur, 1998, p. 167.) Pour une discussion de cet aspect de la pensée de Trudeau, voir Guy Laforest, «Des béquilles et des droits», *De la prudence*, p. 173-194.

ment d'une nation purement civique où l'État n'entretient des liens qu'avec des citoyens pris isolément. C'est ce qui fait dire à Trudeau que «les nationalistes – même de gauche – sont politiquement réactionnaires parce qu'en donnant une très grande importance à l'idée de nation dans leur échelle de valeurs politiques, ils sont infailliblement amenés à définir le bien commun en fonction du groupe ethnique plutôt qu'en fonction de l'ensemble des citoyens, sans acception de personne[27]». L'attribution de droits collectifs, corrélat nécessaire de toute politique nationaliste, est donc selon Trudeau une pratique à caractère ethnique irréconciliable avec les principes d'égalité, de liberté individuelle et de citoyenneté indifférenciée sur lesquels reposent les sociétés libérales.

Cette critique du nationalisme et cette apologie de l'individualisme libéral nous permettent de tracer les contours de la conception trudeauiste de l'identité et du politique. L'identification nationale et la fidélité à une culture sont pour Trudeau des stades transitoires dans le développement des individus et des peuples; un développement qui doit ultimement s'épuiser dans une identité politique individualiste et universaliste. Fidèle à l'esprit des Lumières, Trudeau ponctue son discours d'allusions à ce cheminement téléologique de l'Histoire. C'est ainsi que cette «période idéologique obscure» où règne le nationalisme est un «stade transitoire de l'histoire du monde» et constitue une entrave à la grande «marche de la civilisation»[28]. Rêvant au jour où les êtres humains n'auront plus besoin de repères nationaux et culturels pour donner sens à leur vie, Trudeau met ses «espoirs du côté de l'homme universel[29]». Il conçoit donc l'identité dans les

---

27. Pierre Elliott Trudeau, «La nouvelle trahison des clercs», p. 157.
28. *Ibid.*, p. 148, 164.
29. *Ibid.*, p. 167.

qu'avec la mise en place d'une charte des droits et libertés pouvant à tout moment invalider des lois provinciales. De l'aveu même de Trudeau, «la Charte canadienne constituait un *nouveau départ* pour la nation canadienne et cherchait à renforcer son unité en fondant la souveraineté du peuple canadien sur un ensemble de valeurs communes à tous, et notamment sur la question d'égalité de tous les Canadiens entre eux[33]». L'ancien premier ministre confirme ainsi le diagnostic posé par Dumont voulant que les événements de 1982 soient à l'origine d'une «seconde fondation» du Canada.

L'ANTINATIONALISME ET LA CRITIQUE DE L'ETHNICISME DANS LE QUÉBEC CONTEMPORAIN

Les héritiers de Trudeau sont nombreux au Québec et au Canada. Des universitaires, juristes et politiciens se réclament ouvertement de son héritage. Une nouvelle revue *Cité libre* est même publiée à intervalles réguliers depuis le début des années 90. Toutefois, même si des gens comme Pelletier et Trudeau y ont déjà collaboré, il serait faux d'affirmer que le nouveau *Cité libre* traîne le même bagage génétique que l'ancien. La revue des années 50 et

---

désirable ou ne peut facilement être atteint, on le réduit à *certains domaines*. Sur un pacte ou quasi-traité : *on ne peut unilatéralement en modifier les termes*.» De deux chose l'une : ou bien Trudeau a, en 1982, outrepassé ses propres convictions, ou bien il a cru que le Québec, province plutôt que nation, ne pouvait bloquer à lui seul l'action concertée du gouvernement fédéral et des neuf autres provinces. Ainsi, le rapatriement de 1982 ne serait unilatéral que dans la tête des nationalistes québécois. Parions sur la deuxième hypothèse.

33. *Ibid.*, p. 88.

60 était un lieu pluriel et hétérogène d'échanges et de débats. Des intellectuels aux perspectives et horizons fort différents se donnaient la réplique dans ses pages. Or le nouveau *Cité libre* milite ouvertement pour le «libéralisme et l'unité canadienne». Les Nemni, Angenot, Khouri, Derriennic, Dion, Bertrand et les autres qui remplissent les pages de la revue ont pour objectif avoué de donner la réplique aux intellectuels et politiciens nationalistes et, surtout, souverainistes. Cela n'enlève rien à la revue. À n'en point douter, la présence du nouveau *Cité libre* dans le paysage des idées québécoises est importante. Elle confirme en quelque sorte le pluralisme idéologique de la société québécoise.

Comme je l'ai mentionné plus tôt, l'argument voulant que sévisse au Québec le règne de la pensée unique m'apparaît saugrenu. Il y a trop d'intellectuels, d'activistes, de politiciens et d'autres citoyens antinationalistes articulés pour se laisser convaincre de l'existence d'un despotisme tranquille au Québec. J'explorerai dans les pages qui suivent les écrits de certains de ces intellectuels antinationalistes contemporains.

L'ontologie libérale et antinationaliste de Jean-Pierre Derriennic

Professeur au département de science politique à l'Université Laval, Jean-Pierre Derriennic est l'auteur d'un livre qui a embarrassé plus d'un souverainiste au Québec en 1995[34]. Et pour cause. Ses étudiants à l'Université

---

34. Jean-Pierre Derriennic, *Nationalisme et démocratie. Réflexion sur les illusions des indépendantistes québécois*, Montréal, Boréal, 1995. Mon but en m'attardant aux thèses de Derriennic n'est pas de réfuter point par point son argumentation antisouveraniste, mais plutôt d'exposer (afin de critiquer) son ontologie antinationaliste.

Laval, d'accord ou non avec ses thèses, connaissent bien le caractère persuasif de ses positions. Sa *Réflexion sur les illusions des indépendantistes québécois* est criblée d'arguments rigoureux et solidement ancrés historiquement. À l'image de Trudeau, Derriennic considère que le nationalisme ne satisfait guère l'esprit. Dans des propos qui semblent avoir une portée universelle, Derriennic argue, dans la toute première phrase de son livre, que «le nationalisme se nourrit d'évidences plutôt que de raisons. Il répond aux objections par des boutades ou des arguments d'autorité.[35]» Malgré les apparences, le professeur de science politique ne verse toutefois pas trop dans la polémique. Contrairement à Marc Angenot, il reconnaît par exemple que la plupart des nationalistes québécois sont des démocrates et que, si «le nationalisme canadien-français du passé était identitaire [...] le nationalisme québécois d'aujourd'hui est devenu civique pour la majorité de ses adeptes[36]».

Il ne faut pas chercher trop longtemps pour découvrir le prisme ontologique à travers lequel Derriennic observe le nationalisme québécois. Comme Trudeau, Derriennic croit en la supériorité morale de l'individualisme libéral ou de ce que Charles Taylor appelle «l'atomisme politique». Pour Derriennic, seuls les individus peuvent légitimement être détenteurs de droits. Fidèle en cela à la tradition contractualiste, il conçoit les communautés nationales, culturelles ou autres (il ne les distingue pas) comme de pures émanations de la volonté individuelle des membres qui les composent. Il en tient à la discrétion des individus, porteurs de droits inaliénables, de former, maintenir ou dissoudre des communautés qui répondent

35. *Ibid.*, p. 9.
36. *Ibid.*, p. 22.

à leurs besoins. Derriennic ne peut toutefois pas être rangé parmi les individualistes radicaux qui considèrent que les communautés ne sont que fomentatrices d'entraves, de contraintes et d'obligations arbitraires à l'endroit des individus. L'universitaire reconnaît aisément que les communautés facilitent la coopération et la fraternité entre les individus. L'égoïsme collectif et la création de solidarités indéfectibles sont les deux faces d'une même médaille. Derriennic admet également que les appartenances communautaires sont, pour la majorité des individus, des repères identitaires fondamentaux. C'est lorsqu'il s'agit de donner une portée juridique à ce constat que Derriennic ne s'entend plus avec les théoriciens – communautariens ou autres – qui s'affairent à démontrer l'importance des communautés dans le développement de l'identité. «[I]l ne faut pas confondre l'importance d'un phénomène et la nécessité de l'instituer juridiquement», épilogue Derriennic à ce sujet[37]. Ce dernier se fait donc le promoteur d'un *individualisme juridique* «pour lequel seuls les individus peuvent être des sujets primaires de droits [...][38]». En suivant les préceptes de cette conception, Derriennic cherche ainsi à dissuader les Québécois de revendiquer l'octroi de droits collectifs destinés à assurer la pérennité d'une société distincte d'expression majoritairement francophone en Amérique du Nord. Le professeur de science politique ne leur demande pas, du moins en apparence, de cesser de s'identifier à la nation québécoise, mais plutôt de «renoncer à la volonté d'instituer cette nation en État». Dans la philosophie morale et politique de Derriennic,

37. *Ibid.*, p. 134.
38. *Ibid.*, p. 123.

les nations devraient apprendre, comme certaines religions l'ont fait avant elles, à exister comme des groupements volontaires : les nations n'auraient pas de droits; les individus auraient le droit de s'organiser pour défendre et promouvoir l'idée qu'ils ont de leur identité nationale; les États ignoreraient les nations et ne connaîtraient que des citoyens. Les talents et les ressources ne manquent pas au Québec pour faire vivre et prospérer une nation dans un tel cadre institutionnel[39].

D'un côté, des citoyens détenteurs d'une même identité nationale peuvent se regrouper, dans la société civile, afin de défendre et promouvoir certains aspects de leur identité. De l'autre, ces citoyens doivent aussi reconnaître la neutralité de l'État à l'égard de l'identité et de la reconnaissance et accepter, *eo ipso*, de vivre dans un État *anational.*

Cette conception individualiste des nations, selon l'appellation même de Derriennic, doit être inscrite dans une perspective néo-kantienne dont John Rawls et Jürgen Habermas s'avèrent aujourd'hui les plus fervents défenseurs. Bien qu'ils comportent plusieurs différences, les libéralismes de Rawls et de Habermas peuvent être qualifiés de «procéduraux[40]». Irrémédiablement plurielles, les sociétés contemporaines doivent composer avec une multiplicité de visions de la *vie bonne.* Les perspectives éthiques se côtoient et s'entrechoquent au sein de sociétés virtuellement incapables d'offrir une définition substantive et universelle du bien commun. Par conséquent, le

---

39. *Ibid.,* p. 121.
40. Pour des discussions de ce genre de libéralisme, voir Charles Taylor, «La politique de la reconnaissance», *Multiculturalisme : différence et démocratie,* Paris, Flammarion, 1992; et Will Kymlicka, *Contemporary Political Philosophy,* Oxford, Clarendon Press, 1990.

rôle du politique est de distribuer aux personnes des droits individuels et de s'assurer qu'aucun sous-groupe, au sein de la société, ne puisse imposer politiquement sa vision du Bien. Les interventions étatiques doivent se limiter à l'établissement de *procédures* encadrant la défense des droits individuels et la distribution des ressources. L'État ne peut donc légiférer, même avec le soutien de la majorité de sa population, pour garantir juridiquement la pérennité de certains traits culturels. Or Derriennic ne pense pas autrement : « les lois justes ne sont pas celles qui ont été faites sur mesure pour une personne ou un groupe. Elles se reconnaissent au fait qu'elles peuvent convenir à tous les humains, ou plus exactement à n'importe lequel d'entre eux[41]. » L'attribution de droits collectifs serait antithétique avec le pluralisme éthique et culturel qui s'ébat au cœur de la société québécoise. Le rôle de la philosophie politique serait d'échafauder une *théorie de la justice* culturellement neutre et capable de rallier des concitoyens aux multiples différences éthiques et identitaires. « De ce point de vue, comme le souligne Daniel Weinstock avec justesse, les cultures minoritaires survivront ou périront en fonction de leur capacité à attirer et à conserver des membres dans ce que l'on pourrait appeler le marché libre des cultures et des idées[42]. »

L'existence d'une nation, perçue comme un « groupement volontaire », est ainsi intimement liée à la volonté des membres de lui donner corps dans la société civile. Cette conception n'a rien d'insignifiant. C'est lorsqu'elle est perpétuellement affirmée, transgressée et reconfigurée

---

41. Jean-Pierre Derriennic, *op. cit.*, p. 38.
42. Daniel Weinstock, « La problématique multiculturaliste », *Histoire de la philosophie politique*. Tome V. *Les philosophies politiques contemporaines (depuis 1945)*, Paris, Calman-Lévy, 1999, p. 452.

par ses membres qu'une nation existe vraiment. Il est toutefois légitime de se demander si une nation minoritaire peut s'en remettre exclusivement à l'action privée de ses membres pour assurer sa subsistance. Une petite nation peut-elle vraiment se passer de toute intervention législative? L'exemple des Premières Nations au Québec et au Canada semble indiquer le contraire. Jusqu'à tout récemment, les différents gouvernements qui se sont succédé autant à Québec qu'à Ottawa ont oscillé entre des mesures assimilatrices et le laisser-faire dans leurs relations avec les peuples autochtones; ce qui revient pratiquement à la même chose puisque la politique de l'indifférence mène en douce à la politique de l'assimilation. Les résultats de cette approche parlent d'eux-mêmes : d'un côté, tous les indicateurs socio-économiques démontrent que les Premières Nations (sauf exception) doivent composer avec un profond degré d'anomie sociale (pauvreté, violence, toxicomanie et alcoolisme, analphabétisme et décrochage scolaire, suicide); de l'autre, toute une génération d'autochtones prend aujourd'hui conscience de l'état de perdition dans lequel se trouve son identité culturelle. Malgré le fait que la transmission de la sagesse et du savoir des aînés soit au cœur même du système de valeurs et de la vision du monde autochtones, le contact intergénérationnel a été sérieusement compromis par l'absence d'intervention vouée à soutenir le développement culturel de ces communautés[43]. Des autochtones de générations différentes, appartenant pourtant à la même nation, ne parlent *littéralement* plus la même langue. Or la revitalisation culturelle

---

43. Pour un condensé de la situation, voir le volume 2 du rapport de la Commission royale sur les peuples autochtones.

et économique des Premières Nations, laquelle s'est mise en branle dans certaines communautés, n'emprunte pas le chemin de la citoyenneté indifférenciée et universelle, mais bien celui du combat pour la diversité culturelle. C'est ainsi que la négociation de traités, la quête d'autonomie politique, les revendications territoriales, les demandes d'accès particuliers aux ressources naturelles et la recherche de partenariats économiques constituent le noyau dur des politiques de l'identité menées vigoureusement par les Premières Nations. Il ne fait aucun doute dans l'esprit des peuples autochtones que renaissance culturelle, reconnaissance politique, droits collectifs et autonomie gouvernementale vont de pair[44].

Dans la même veine, que serait-il advenu du fait français au Québec sans la promulgation des lois 101 et 86 qui, il faut bien l'admettre, sont des formes de droit collectif servant strictement la cause de la majorité francophone? Il ne s'agit pas de tomber dans les scénarios apocalyptiques sur une éventuelle disparition de la langue française au Québec. Le français, même à Montréal, n'est pas menacé de disparaître et le compromis linguistique actuel, largement fondé sur l'arrêt de la Cour suprême de 1988 (*Ford c. P.G. Québec*), me semble être le fruit d'un équilibre réflexif vertueux entre la primauté des droits individuels et l'institutionnalisation juridique de mesures collectives vouées à la préservation de caractéristiques linguistiques ou culturelles particulières[45]. Or cette disposi-

---

44. Taiaiake Alfred, *Peace, Power, Righteousness : An Indigenous Manifesto*, Oxford, Oxford University Press, 1999.

45. Pour une lecture correspondante, voir Michael MacMillan, «La Loi sur les langues officielles et la Charte de la langue française. Vers un consensus?», *Globe. Revue internationale d'études québécoises*, volume 2, numéro 2, 1999, p. 83-100.

tion législative, manifestation probante d'une volonté plus générale d'édifier au Québec une nation et une communauté politique autonome (dans la mesure du possible à l'ombre de la mondialisation), s'insère difficilement dans l'ontologie libérale d'un Trudeau ou d'un Derriennic. Comme nous l'avons vu, Derriennic ne reconnaît aucun droit aux nations. Par exemple, le professeur de science politique avance avec certitude que si le droit à l'auto-détermination et à la sécession peut être invoqué par le Québec, il peut l'être aussi par tous les groupements qui résident sur le territoire québécois. Donc, «si les Québécois ont le droit de décider qu'ils sont un peuple distinct du peuple canadien, les Amérindiens, les Gaspésiens, les habitants de l'ouest de Montréal ou d'autres ont un droit équivalent. Ils peuvent décider qu'ils sont des peuples distincts du peuple québécois ou qu'ils ne sont pas des peuples distincts du peuple canadien[46].» Les Québécois, même si la grande majorité d'entre eux se réclament d'une identité *nationale* qui se confond avec les frontières juridiques du Québec, ne font pas partie d'une communauté différente de la communauté clamée par les Gaspésiens (qui ne se réclament pourtant d'aucune auto-représentation nationale). Or, comme Will Kymlicka, mais pour des raisons différentes, je crois que les nations sont détentrices de prérogatives particulières. Et cela uniquement en raison du fait que les nations s'imaginent comme des communautés libres de s'autodéterminer, et non en raison d'un quelconque statut ontologique. Selon Kymlicka, les nations possèdent un droit à l'autodétermination ou à l'autonomie gouvernementale (*self-government right*) qui n'est pas revendiqué par les communautés culturelles ou

46. Jean-Pierre Derriennic, *op. cit.*, p. 73, 74. Voir aussi p. 39 et 103.

les groupements régionaux qui ne se réclament pas d'une identité nationale distincte[47]. Cette distinction établie par un philosophe qui s'affaire depuis plus d'une décennie à amender le langage du libéralisme – afin que celui-ci s'adapte à la diversité profonde des sociétés contemporaines – est fondée sur la double hypothèse voulant que (1) la nation, même si elle n'est pas le seul, ni toujours le plus important lieu identitaire, demeure à la fois une source et un horizon fondamental pour le développement de l'identité et que (2) l'absolue neutralité de l'État mette en péril l'existence même des nations minoritaires[48]. Des

---

47. « Les unités basées sur la nationalité sont susceptibles de rechercher des pouvoirs différents et plus étendus que les unités régionales et ce, autant parce qu'elles ont besoin davantage de pouvoirs pour protéger une langue et une culture nationales vulnérables que parce que cela constitue une affirmation symbolique qu'elles constituent (contrairement aux subdivisions régionales) des "nations distinctes". » (Will Kymlicka, « Citizenship and Identity in Canada », *Canadian Politics*, James Bickerton and Alain-G. Gagnon (dir.), Broadview Press, 1999, p. 24.) Kymlicka considère que les communautés culturelles peuvent toutefois revendiquer en toute légitimité des *polyethnic rights*. Pour Kymlicka, « les mesures spécifiques pour les groupes [...] sont prévues pour aider les groupes ethniques et religieux à exprimer leur particularité culturelle ainsi que leur fierté envers celle-ci sans que cela n'entrave leur chance de succès dans les institutions politiques et économiques de la société dominante. » Ces droits permanents visent à faciliter l'intégration des nouveaux arrivants tout en évitant leur assimilation pure et simple. (Will Kymlicka, *Multicultural Citizenship*, Oxford, Clarendon Press, 1995, p. 31.)

48. En plus du livre cité à la note précédente, voir du même auteur : *Liberalism, Community and Culture*, Oxford, Clarendon Press, 1989 ; et *Finding our Way. Rethinking ethnocultural relations in Canada*, Toronto, Oxford University Press, 1998. Je ne peux entrer ici dans le détail de ma critique de la perspective développée par Kymlicka et de nombreux autres philosophes

nationalistes (pour la plupart non sécessionnistes) d'Écosse, de Catalogne, du Chiapas et du Québec, désireux d'arrimer mondialisation et diversité culturelle, s'entendent parfaitement avec Kymlicka à ce sujet.

Contrairement à des philosophes libéraux comme Kymlicka et Weinstock (malgré les différences importantes entre leurs positions), des intellectuels antinationalistes comme Trudeau, Derriennic et Angenot ne sont pas intéressés à essayer de concilier, de façon toujours précaire, les impératifs du libéralisme et les exigences de l'identification nationale. À l'instar de Trudeau, Derriennic argue que la « solidarité communautaire est un phénomène très largement indépendant du jugement rationnel » et que, « dans les sociétés politiquement civilisées, la valeur suprême ne doit pas être la nation, mais la citoyenneté [...][49] ». Le politologue se permet ainsi de revêtir l'habit du législateur en soutenant que seule la citoyenneté, et non le nationalisme, est universalisable. Pour en arriver à une telle conclusion, il faut toutefois postuler l'existence d'*un seul* type de nationalisme : celui qui est animé par le principe « À chaque nation son État ». Or, ainsi que nous l'avons vu au chapitre précédent, il existe une pluralité de nationalismes ; parmi eux le discours stato-national est un langage important parmi d'autres.

Dans sa narration identitaire rationaliste et individualiste, Derriennic conçoit donc le Canada comme une vaste nation exclusivement civique où des citoyens convergent vers une citoyenneté indifférenciée et forment dans la

---

politiques contemporains. À mon sens, il s'agit maintenant pour les philosophes politiques de passer des théories (multiculturelles ou non) de la justice aux pratiques (collectives) de la liberté.

49. Jean-Pierre Derriennic, *op. cit.,* p. 111, 107.

société civile des associations volontaires destinées à défendre des intérêts communs[50]. L'ombre de Kant planant sur l'ouvrage du politologue, il n'est sans doute pas faux d'affirmer que, pour Derriennic, l'époque du nationalisme civique est en fait une période historique transitoire qui accouchera peut-être d'une citoyenneté mondiale. L'idéal cosmopolitique de Kant se profile en effet derrière cette phrase lancée de façon plus ou moins anodine et fort peu explicitée par le politologue : «je me suis fait dans les pages précédentes le défenseur de l'obligation de solidarité entre concitoyens. C'est une valeur nécessaire, *qui deviendra peut-être inutile quand existera une citoyenneté mondiale effective*[51].» Comme nous le verrons avec Angenot et Robin, cet universalisme politique semble le corollaire nécessaire de l'antinationalisme théorique.

Marc Angenot et l'achèvement du projet de la modernité

> *Le ressentiment forme le substrat idéologique des nationalismes des XIXe et XXe siècles – pas les chauvinismes de grandes puissances, bien entendu : celui des petites entités nationales traînant le souvenir d'avoir été asservies ou brimées.*
>
> Marc Angenot

---

50. Par une démonstration fort problématique, l'anthropologue Claude Bariteau en arrive à plaider à la fois pour la souveraineté du Québec et pour la création d'une nation québécoise exclusivement civique. Voir Claude Bariteau, *Québec 18 septembre 2001. Le monde pour horizon*, Montréal, Québec Amérique, collection «Débats», 1998.
51. Jean-Pierre Derriennic, *op. cit.*, p. 136 (c'est moi qui souligne).

La sortie en règle de Marc Angenot contre les intellectuels «ethniques» québécois dans les pages du *Devoir* a provoqué moult convulsions chez certains penseurs nationalistes[52]. Et pour cause. Les véhémentes et tapageuses critiques adressées aux intellectuels québécois n'émanaient pas des élucubrations d'un pamphlétaire quelconque, mais étaient plutôt le fruit des réflexions de l'un des artisans les plus réputés des sciences humaines québécoises. Ces lettres ont donc déjà été abondamment discutées. Cet échange, versant davantage dans la polémique et la vendetta que dans le débat d'idées, est d'un bien mince intérêt pour une réflexion sur les ontologies qui sous-tendent les différentes narrations de l'identitaire québécois. Par contre, *Les idéologies du ressentiment*, l'essai où Angenot nous dévoile sa position face à ce qu'il nomme les «néo-tribalismes» et le «marché identitaire contemporain», apparaît comme un terrain beaucoup plus fertile[53].

L'exercice demeure tout de même difficile. Comme l'ont noté deux critiques des *Idéologies du ressentiment*, l'essai d'Angenot, bien différent de ses ouvrages précédents, est parsemé d'attaques plus ou moins fondées contre les politiques de l'identité contemporaines, qu'il tourne le plus souvent en dérision[54]. Malgré ce glissement,

52. Marc Angenot, «Démocratie à la québécoise», *Le Devoir*, 13 juin 1996, p. A 9; et «Les intellectuels nationalistes et la Pensée unique», *op. cit.*
53. Marc Angenot, *Les idéologies du ressentiment*, Montréal, XYZ éditeur, 1996.
54. Voir Jacques Pelletier, *Au delà du ressentiment. Réplique à Marc Angenot*, Montréal, XYZ éditeur, 1996; et Alain Roy, «Identité et ressentiment», *op. cit.* Comme le souligne Roy à la page 97 de son article, «[o]uvrage de réflexion, *Les idéologies du ressentiment* se métamorphose en pamphlet; l'analyse cède le pas à la polémique. Cela se traduit, sur le plan stylistique, par une écriture empreinte d'ironie et d'agressivité.»

qui favorise plus le dialogue de sourds que l'élucidation réciproque, je ne tenterai pas d'exhiber les contradictions internes ou les défaillances logiques qui se trouvent peut-être dans *Les idéologies du ressentiment.* Pelletier et Roy ont déjà articulé des critiques de ce genre suffisamment sérieuses pour mériter une réponse de l'auteur concerné. Pour ma part, je m'appliquerai à exposer la «nostalgie moderniste» d'Angenot qui conditionne, il me semble, sa perception des mouvements identitaires et nationalistes contemporains.

En parfaite contiguïté d'esprit avec Trudeau et Derriennic, Angenot n'éprouve guère de sympathie pour le nationalisme, qu'il appréhende lui aussi comme la volonté d'édifier une nation pleine, identique à elle-même et frileusement retranchée derrière les remparts de l'homogénéité républicaine :

> le nationalisme envisagé surtout comme séparatisme, comme *besoin* de sécession pour se retrouver entre soi, comme fantasme de n'avoir plus à se comparer ni à se juger sur le terrain de l'adversaire historique et dans ses termes, selon la logique qui a assuré son succès – se débarrasser de cet adversaire, rompre les ponts, s'isoler entre soi pour n'être plus comptable qu'à l'égard du Peuple du Ressentiment [...][55]

Comme on peut le voir dans l'exergue qui ouvre cette section, Angenot voit dans le ressentiment la source, le «substrat idéologique» du nationalisme des petites nations. Toutefois, il brouille les pistes qui nous permettraient de remonter jusqu'à l'origine de sa position. Comme l'ont souligné Pelletier et Roy encore une fois, Angenot semble soutenir deux axiomes mutuellement

---

55. Marc Angenot, *Les idéologies du ressentiment*, p. 29.

contradictoires[56]. D'une part, il évoque l'hypothèse, heuristiquement prometteuse à défaut d'être inédite, que le ressentiment est en fait un palliatif, un baume malheureux posé sur les plaies ouvertes par le «dépérissement» postmoderne du sens. Le ressentiment, ersatz de l'insoutenable responsabilité de créer du sens, de la valeur et de la vérité dans un univers désenchanté, vient donc «en second[57]». La résurgence du ressentiment est ainsi interprétée comme l'une des plus importantes manifestations contemporaines de l'érosion des métarécits et de la dégradation métaphysique du monde[58]. Face à l'incessante crédulité à l'égard des mythes universalistes de la modernité (Raison, Science, Progrès, Vérité, Histoire, Sujet), le ressentiment, selon Angenot, «cherche à restituer des fétiches, des stabilités, des identités[59]». Puisqu'il

---

56. Jacques Pelletier, *op. cit.*, p. 30; Alain Roy, *op. cit.*, p. 94.
57. «Si les perspectives d'espérance collective manquent, si les sociétés se retrouvent devant des *pénuries* durables – matérielles ou éthiques –, les individus, désillusionnés, tendent à se rallier à des drapeaux d'identités rancunières. C'est pourquoi l'analyse du *malaise* dans la culture contemporaine ne doit pas partir du ressentiment, tout est d'abord dans la peur, la sérialisation des individus, l'ingérable peur du vide postmoderne [...] Le progrès du ressentiment va avec le dépérissement du sens.» (Marc Angenot, *Les idéologies du ressentiment*, p. 42-43.)
58. Pour différentes perspectives sur la dégradation métaphysique du monde, voir Jean-François Lyotard, *La condition postmoderne : rapport sur le savoir*, Paris, Éditions de Minuit, 1979; Alain Touraine, *Critique de la modernité*, Paris, Fayard, 1992; et David Owen, *Maturity and Modernity. Nietzsche, Weber, Foucault and the Ambivalence of Reason*, Londres et New York, Routledge, 1994.
59. Marc Angenot, *Les idéologies du ressentiment*, p. 32. Dans la même veine, Nadia Khouri soutient que «l'enracinement serait alors une *valeur refuge* contre les ruptures, l'inscription en dogme d'une source et d'un ressourcement, de la stabilité face à la déperdition» dans «Discours et mythe de l'ethnicité», *Discours et mythes de l'ethnicité*, Nadia Khouri (dir.), Les cahiers scientifiques de l'Acfas, 1992.

s'agit de l'un des enjeux cruciaux de notre époque de la «fin des conceptions du monde», plusieurs théoriciens réfléchissent sur la problématique de l'identité et de l'orientation en l'absence de repères transcendantaux. Angenot délaisse toutefois rapidement cette problématique afin d'en examiner une autre : «[t]ribalisme et ressentiment : le ressentiment est premier, il est ce qui *soude* la tribu dont l'identité-cohésion ne résulte que du ressassement collectif de griefs et de rancunes. LE RESSENTIMENT FAIT LES TRIBUS : VOICI L'ESSENTIEL DE MA THÈSE[60].» D'abord présenté comme attitude compensatoire, le ressentiment devient ici un substrat ontologique. Nationalisme, féminisme, sectarisme, masculinisme, antisémitisme sont, dans la prose d'Angenot, unis par le dénominateur commun qu'est le ressentiment. Les nationalismes, «ressentimenteux» et geignards par essence, procèdent de la réification et du ressassement perpétuel d'un passé vécu sous le signe de la domination et de l'aliénation. Le nationalisme des nations minoritaires, en tant que «rêve d'étanchéité», prend forme dans un repli sur un état victimal allégué plutôt que dans un désir d'émancipation et de transcendance[61]. Le nationalisme est, selon Angenot, une «maladie de la raison» et de la volonté.

Le ressentiment est donc appréhendé à la fois comme cause et comme conséquence. S'agit-il là d'un paradoxe qui remet en question la validité même de la position d'Angenot – comme Roy et Pelletier l'ont avancé – ou d'une formulation inopportune et alambiquée de la part du professeur de lettres à l'Université McGill ? Peut-être doit-on lire (entre les lignes) la position suivante chez

---

60. *Ibid.*, p. 96 (les majuscules sont de l'auteur).
61. *Ibid.*, p. 98.

Angenot : le ressentiment, en tant qu'attitude compensatoire lâche et pleurnicharde stimulée par la fin de la
modernité, *produit* les idéologies revanchardes, les
nationalismes et les identités. Je ne tenterai pas ici de
régler un débat auquel le principal intéressé ne semble pas
vouloir participer. Je m'attarderai plutôt sur les motifs qui
incitent Angenot à voir dans le nationalisme et les politiques de l'identité des manifestations vautrées dans le
ressentiment.

Angenot admet sans ambages qu'il se sent personnel-
lement indisposé par les idéologies du ressentiment en
général et les politiques de l'identité en particulier (dont le
nationalisme au premier chef)[62]. D'où vient cette
irritation chez l'un des pionniers de l'analyse du discours
au Québec? Mon hypothèse, qui n'a rien de bien provo-
cateur, est qu'Angenot veut, comme Habermas, achever le
projet de la modernité. En d'autres termes, Angenot tente
de redonner un sens aux idéaux universalistes et émanci-
pateurs des Lumières tout en prenant acte de la faillite de
la métaphysique. Comment élaborer une pensée de la
citoyenneté indifférenciée, de la justice, des droits de la
personne, de la communication et de «l'universalisme
pluriel» dans un contexte où seuls les «petits récits» ont
droit de cité? Pour les fins de son essai, Angenot définit
d'ailleurs la modernité comme «cette période marquée
par des tentatives dans une large mesure victorieuses pour
tenir le ressentiment en respect, pour le dépasser ou le
métamorphoser en autre chose», alors que la postmodernité «serait marquée et définie *a priori* par le recul (con-
joncturel ou durable?) des pensées de l'universel, de l'histoire (l'histoire non comme un maelström mais comme

---

62. *Ibid.*, p. 154.

quelque chose ayant un sens) et par l'évanouissement des "horizons de réconciliation"[63].»

La nostalgie moderniste d'Angenot est palpable dans son jugement sur l'époque actuelle (l'âge du ressentiment). Selon lui, le foisonnement mondial des politiques de l'identité est la plus probante manifestation d'une Histoire qui régresse, d'une postmodernité qui circonvolutionne et qui tourne à vide. «Ressentiment contemporain et résurgence triomphante des ethnocentrismes et des nationalismes des petites patries. Remonter le sens de l'histoire, parachever l'histoire moderne par *une régression en deçà*», écrit Angenot dans un style parfois télégraphique[64]. En tant que théoricien critique, Angenot s'est donné pour mission de démystifier les idéologies délétères du ressentiment et, ce faisant, de participer à l'achèvement du projet de la modernité. Angenot cherche à défendre l'héritage des Lumières contre la montée du postmodernisme, du relativisme culturel et de «l'ethno-nationalisme[65]». Il faut selon lui dresser contre les replis identitaires l'ouverture à l'universel et la rationalité du

---

63. *Ibid.*, p. 61.
64. *Ibid.*, p. 45 (c'est moi qui souligne).
65. C'est pourquoi l'on ne peut s'empêcher de remarquer les connivences et confluences entre les projets de Habermas et d'Angenot. Bien sûr, comme Foucault, Angenot critique, sans doute avec raison, le caractère restrictif de l'éthique habermassienne du discours. Malgré ces (importantes) nuances, qui sont somme toute une chicane de famille, Angenot et Habermas partagent le même idéal régulateur : achever le projet de la modernité. Voir *ibid.*, p. 168-169 ; et Jürgen Habermas, *Le discours philosophique de la modernité*, Paris, Gallimard, 1988. Pour des réflexions critiques sur le travail de Habermas, voir Luc Langlois, «L'impératif catégorique ou le principe "U"? De quelques objections à la *Diskursethik de Habermas*», dans *Le prisme kantien*, F. Duchesneau (dir.), Paris, Vrin, 2000 ; *Foucault contra Habermas*, D. Owen et S. Ashenden (dir.), Londres, Sage, 1999.

cosmopolitisme : «toute pensée de la citoyenneté, de l'universel, de l'universalité des règles de justice, du dialogue, du cosmopolite et du pluriel non cloisonné est un antidote au ressentiment qui ne peut jamais que ressasser des griefs particularisants et trouve méritoire de s'y enfermer[66].» Même s'il s'oppose catégoriquement à l'octroi de droits collectifs[67], Angenot se défend bien d'écrire un requiem pour la diversité culturelle. C'est au nom du pluralisme et de «l'accueil à l'altérité» qu'Angenot mène sa charge contre les idéologies du ressentiment et, par le fait même, les politiques de l'identité. Dans une section où il semble vouloir se prémunir contre les critiques qui pourraient lui être adressées, il ressent même le besoin d'écrire : «[j]e ne nie pas l'identité, le sentiment d'identité et d'appartenance comme sorte (assez floue et diverse) de besoin anthropologique, mais je distingue l'identité conçue dans l'interaction avec le divers et l'autre et comme devenir (comme désir d'émancipation) et l'identité-ressassement[68].» Fort bien, mais qu'en est-il des impératifs de l'appartenance et du vivre-ensemble en condition de pluralité? Il faut nous expliquer comment ce «besoin anthropologique» de l'identité peut être assouvi dans un contexte dominé par le mouvement, le métissage, l'intégration et l'affirmation concomitante de la différence. Or Angenot ne peut rien nous dire là-dessus puisque toute politique de l'identité, «ressentimenteuse» par essence, est condamnée à l'aune d'un «universalisme pluriel» dont on ne sait rien. Il est d'ailleurs révélateur

---

66. Marc Angenot, *Les idéologies du ressentiment*, p. 166.
67. «Exaltation de "droits collectifs" qu'il faut comprendre comme droit de normaliser au nom des mythes collectifs et de supprimer les dissidences.» *Ibid.*, p. 107.
68. *Ibid.*, p. 160.

qu'Angenot, pas plus que Derriennic, Khouri ou Robin, n'a jamais jusqu'à ce jour engagé de dialogue avec des philosophes politiques canadiens, reconnus internationalement, comme Taylor, Tully et Kymlicka, qui ont théorisé des thèmes comme l'enracinement, le sentiment d'appartenance, la domination des valeurs libérales, le besoin de reconnaissance, l'hybridité culturelle et la mondialisation[69]. Mais ces pensées, puisqu'elles témoignent de toutes les nuances et les tensions sur lesquelles s'échafaudent les politiques de l'identité, ne sont pas d'un grand secours pour Angenot. Pourtant, entre revanchisme et volonté d'émancipation, entre ouverture à l'altérité et besoin de reconnaissance, les politiques de l'identité sont loin d'être monosémiques[70]. Bref, on voit mal en quoi la pensée d'Angenot peut contribuer à l'érection d'un rempart contre l'uniformisation planétaire des identités culturelles.

---

69. En plus de Taylor, plusieurs philosophes politiques québécois, dont Daniel Weinstock, Dominique Leydet, Guy Laforest, Michel Seymour, Geneviève Nootens, Alan Patten, Dimitrios Karmis et bien d'autres poursuivent et contribuent à l'avancement de ces réflexions. Il est par conséquent difficile de saisir pourquoi Régine Robin considère qu'«alors que le Canada anglais a pu faire des apports majeurs à une éthique post-libérale de la communauté, un tel travail d'approfondissement philosophique n'a guère d'équivalent au Québec francophone». (Régine Robin, «Défaire les identités fétiches», *La question identitaire au Canada francophone : Récits, parcours, enjeux, hors lieu*, Jocelyn Létourneau (dir.), Sainte-Foy, Les Presses de l'Université Laval, 1994.)
70. À ce sujet, voir le prochain livre de James Tully, *Freedom and Belonging*, Cambridge, Cambridge University Press, à paraître.

Régine Robin et la défétichisation de l'identité québécoise

> *Quelle angoisse certains après-midi – Québécité – québécitude – je suis autre. Je n'appartiens pas à ce Nous si fréquemment utilisé ici – Nous autres – Vous autres. Faut se parler. On est bien chez nous – une autre histoire – L'incontournable étrangeté.*
>
> Régine Robin

Professeure de sociologie à l'Université du Québec à Montréal et écrivaine, Régine Robin est une figure intellectuelle notoire au Québec. Usant d'une approche théorique résolument interdisciplinaire, elle est l'auteure de plusieurs essais et ouvrages scientifiques riches et originaux. Précédée d'une enviable réputation dans les milieux universitaires, elle a vu à juste titre ses critiques du nationalisme québécois faire réfléchir les intellectuels nationalistes. D'autant plus que ses propos sont habituellement de nature moins polémique que ceux d'un Angenot par exemple. « Habituellement », puisque Robin donne parfois elle aussi dans la critique de la Pensée unique et du totalitarisme *soft* qui séviraient au Québec. Ce faisant, elle entonne à son tour, en changeant les refrains, le chant de la médiocrité culturelle du Québec abordé au chapitre 2. C'est ainsi qu'elle n'hésite pas à associer, de façon plus ou moins causale, l'absence d'un espace critique, l'indigence de la pensée et l'hégémonie du discours nationaliste :

> Depuis 1979-80, qu'est-ce qui a changé sur le front culturel ? Tout et rien, et tout a empiré. Disons-le sans ambages, pour un dissident, LE QUÉBEC EST DEVENU IRRESPIRABLE sur le plan idéologique et culturel. Il n'est pas facile d'être à

contre-courant, de penser « autre chose », simplement de penser. Ce qui fait défaut aujourd'hui, c'est un espace public de débat, de confrontations des idées sans qu'on soit immédiatement illégitimé sous prétexte qu'on vient d'ailleurs, qu'on n'est pas conforme ou qu'on pense autrement [...] une seule chose n'a pas changé : l'indigence de la pensée, la marginalisation et l'exclusion de tout ce qui bougeait vraiment et pensait autrement, l'indigence de la pensée critique, bien entendu sauf exception [...] Bien sûr, l'espace psychique est totalement absorbé, sans entame, par le nationalisme politique et/ou culturel, par une obsession et une fétichisation de la langue qui va d'ailleurs de pair avec sa mauvaise qualité[71].

Encore une fois, il n'est guère aisé de remonter jusqu'à la fondation de tels propos. La polyphonie des voix et des idées, donc l'existence d'un espace critique, semblent indéniables au Québec. Nul doute que l'intellectuel québécois est d'une façon ou d'une autre confronté à l'interpellation nationaliste, pour reprendre les mots de Dumont. Cependant, il me semble que les trois premiers chapitres de cet essai illustrent bien que les intellectuels québécois, en tant que catégorie hétérogène, réagissent de façon fort différente à cette interpellation. Si Cantin réaffirme le néo-nationalisme québécois, Laforest le critique et en propose un nouveau langage, alors que Derriennic conteste la validité même du nationalisme. Toutes ces voix sont légitimes et, par-delà la polémique et les dialogues de sourds, s'appuient les unes sur les autres pour gagner en rigueur et en intelligibilité.

---

71. Régine Robin, « Vieux schnock humaniste cultivé et de gauche cherche coin de terre pour continuer à penser. Nationalistes s'abstenir. Répondre au journal *Spirale*. Discrétion non assurée. », *Spirale*, numéro 150, septembre-octobre 1996, p. 4 (les majuscules sont de l'auteur). Dans la même veine, voir l'entrevue qu'elle accorde à Montoya et Thibeault dans *Frénétiques*, p. 128.

À mon sens, c'est lorsqu'elle s'applique à débusquer les exclusions fomentées par un certain discours nationaliste que Robin contribue le plus à transformer l'identitaire québécois. Robin est l'une de celles qui a fait le plus au Québec pour faire comprendre le caractère pluriel, mouvant, fuyant, fragmenté et métissé des identités. S'appliquant à cerner le devenir postmoderne des identités, elle croit que celles-ci sont *ontologiquement* plurielles, fragmentées et passagères[72]. En-deçà ou au-delà des discours, la vie réelle est habitée par des «identités plurielles, multiples», par la «fragmentation des identités» et par le «choix identitaire à la carte[73]». La liberté, pour Robin, s'incarne dans la non-coïncidence, l'extraction, le déracinement, l'arrachement, le dépaysement, l'*unheimlich*. Alors que la fixation et l'épinglage de l'identité étouffent les collectivités, «seule la déprise, l'appartenance multiple, l'entre-deux donnent du jeu, de l'espace respirable[74]».

C'est à partir de cette perspective que Robin appréhende le texte littéraire et le discours social québécois, où elle a découvert à répétition des actes manqués et des lapsus qui témoignent d'un «discours de l'homogénéité»

---

72. Je pense aussi que les identités sont le plus souvent multiples et labiles. Toutefois, cette position ontique n'est pas nécessairement défendable ontologiquement. La fragmentation et la pluralisation des identités sont des *potentialités*. Les identités, même si elles sont façonnées à même la différence, peuvent tendre vers un idéal (de plus en plus difficile à atteindre) d'unité, d'intégrité, de cohésion, d'adéquation. En d'autres termes, l'individu peut se représenter comme le détenteur d'une identité intégrée, architectonique, sans pour autant faire preuve de mauvaise foi ou de fausse conscience. Ontologiquement, on ne peut aller guère plus loin que de dire que les identités sont intrinsèquement *narratives*.
73. Régine Robin, «L'impossible Québec pluriel : la fascination de "la souche"», *Les frontières de l'identité*, p. 304.
74. Régine Robin, «Défaire les identités fétiches», p. 229.

et d'une «nostalgie d'une Gemeinschaft imaginaire»[75]. Robin se dresse, avec raison, contre les tentatives de réifier ou d'essentialiser les éléments qui se trouveraient au cœur de la québécitude et s'opposent, en d'autres termes, aux définitions substantialistes de l'identité québécoise. Par exemple, Robin déplore que l'identité est trop souvent appréhendée au Québec comme «une essence, donnée *a priori*, [qui] émane de ce caractère français des habitants à l'origine et de leur langue. Langue et identité coïncident, de même que langue, identité et culture. Il en résulte que l'État, État-nation (plus exactement État-Volksgeist) à construire ou État-providence déjà là, se doit de prendre en charge cette coïncidence, cette figure du plein, de la préserver, de la refléter, de la renforcer[76].» Or toute cette coïncidence, qui forme une «glu identitaire», ne peut être présumée que chez ceux qui possèdent une langue, une identité et une culture communes et qui partagent, pour reprendre l'heureuse formule de Robin, le même «roman mémoriel[77]». Pour le dire autrement, l'identité québécoise contemporaine ne serait accessible qu'à la communauté imaginée canadienne-française. Le nationalisme québécois, dévêtu de ses oripeaux civiques, est un projet qui s'adresserait exclusivement aux Québécoises et Québécois «de souche». Les frontières de l'authenticité québécoise coïncideraient avec les contours de l'ancienne nation

---

75. Régine Robin, «L'impossible Québec pluriel», p. 296.
76. Régine Robin, «Défaire les identités fétiches», p. 216.
77. Un roman mémoriel s'incarne dans «les diverses formes d'appropriation collective du passé, depuis la mémoire officielle jusqu'à la mémoire fictionnalisante de la littérature, depuis la mémoire savante, élaborée par les historiens, jusqu'aux mémoires de groupes minoritaires et générationnels.» (*Ibid.*, p. 218.) Pour une définition plus complète, voir son livre *Le roman mémoriel : de l'histoire à l'écriture du hors-lieu*, Longueuil, Le Préambule, 1989.

canadienne-française. Citoyen du Québec, l'autre, le différent ne serait jamais vraiment québécois. D'où l'impossibilité présumée d'un « Québec pluriel ».

L'exploration des travaux des intellectuels mélancoliques au chapitre 1 a permis de rendre manifeste le caractère traumatique de la mémoire de certains auteurs nationalistes. Or, selon Robin, le projet que véhiculent ces intellectuels « exclut pour le moment tous ceux qui ne peuvent porter ce poids de mémoire, d'accablement, d'humiliation, de souvenirs du roman mémoriel québécois[78] ». C'est ainsi que la femme, personnage principal de *La Québécoite*, s'est toujours sentie marginalisée, stigmatisée, parfois tout simplement exclue, parfois accueillie tout en demeurant le symbole de l'intrigante étrangeté. « Je ne suis pas d'ici. On ne devient pas Québécois », soupire-t-elle plus d'une fois dans le récit[79]. Bien qu'elle soit charmée par certains aspects du Québec et désireuse d'explorer sa spécificité identitaire, un malaise habite la narratrice du roman. Peut-être voterait-elle même OUI au référendum (de 1980) si ce n'était de cette peur lancinante :

> *La peur de l'homogénéité*
> *de l'unanimité*
> *du Nous excluant tous les autres*
> *du pure laine*
> *elle l'immigrante*
> *la différente*
> *la déviante*
> *Elle hésiterait*

---

78. Régine Robin, « Défaire les identités fétiches », p. 220.
79. Régine Robin, *La Québécoite*, Montréal, Québec Amérique, 1983, p. 52.

> Car il pourrait aussi y avoir une façon québécoise
> de faire la chasse
> aux sorcières
> car il pourrait aussi y avoir une façon québécoise
> d'être xénophobe et
> antisémite
> Elle hésiterait. Perdue dans ce combat historique
> pas tout à fait le sien
> pas tout à fait un autre[80]

Or, pour en finir avec cette exclusion qui tue le Québec contemporain, il faut démolir cette clôture identitaire, «faire des grumeaux dans la béchamelle *[sic]* de l'identitaire et de l'essentialisme», «sortir de l'ethnicité», c'est-à-dire «creuser en soi, de quelque origine qu'on se trouve être par hasard, une position d'incertitude identitaire, de décentrement, d'identité molle au sens de Vattimo, de déplacement, de déconstruction[81]». Tout un travail de défétichisation de l'identité, de conversion du regard et des mentalités, de désédimentation et de «réaménagement mémoriel» doit donc être accompli pour transformer l'identitaire québécois. Chez Robin, il semblerait que ce sont la littérature et la pensée critique qui permettent d'accomplir ce travail de décentrement. Toutefois, ce rapport à soi différent amène avec lui un nouveau projet politique : l'élaboration d'un «nouvel universalisme». C'est à ce stade que Robin rejoint, peut-être sans le vouloir, les auteurs étudiés dans ce chapitre.

Le passage de la critique au politique n'a rien d'évident. Une pléthore d'intellectuels ont buté sur cette transition. C'est pourquoi l'on ne peut trop tenir rigueur à

---

80. *Ibid.*, p. 129.
81. Régine Robin, «Défaire les identités fétiches», p. 237.

Robin pour son silence relatif à ce sujet. Il n'en demeure pas moins légitime de se demander comment la problématisation de l'identité opérée par Robin doit transformer notre compréhension de la communauté et de l'appartenance commune. D'un côté, on retrouve l'écrivaine et la théoricienne de la littérature qui semble plaider pour la «patrie imaginaire» : celle qui est fondée sur le transculturalisme et le respect de l'altérité. Le dépaysement érigé en norme. Dans cette perspective, la communauté devient un *hors-lieu* ou un *non-lieu*, mais jamais un *lieu* identitaire[82]. De l'autre côté, la sociologue appelle la constitution d'une «citoyenneté civique qui n'est pas fondée sur l'origine mais sur le projet social[83]». Rien de tout cela n'est condamnable. D'ailleurs, comme nous le verrons au prochain chapitre, il existe déjà une telle citoyenneté au Québec. Comme Robin, je m'appliquerai à démontrer comment les communautés sont des lieux éclatés et dissensuels où cohabitent des authenticités plurielles. Malgré cela, il faut demander à Robin ce qu'elle a à proposer à ceux qui veulent s'assurer de la pérennité d'une nation et d'une communauté politique majoritairement francophones et pluralistes en Amérique du Nord, et qui, corrélativement, tiennent à voir le Québec reconnu de la sorte. À l'heure où le consensualisme en politique a la vie dure[84] – ce qui n'a rien de déplorable –, ce combat pour la diversité culturelle est peut-être l'un des rares projets de société ou horizons

---

82. «Reste alors la seule communauté vivable, supportable, celle de ceux qui sont sans communauté ou en rupture de ban, qui vivent en hors-lieu, qui vivent une position d'intériorité/extériorité, une position de décalage, de non-coïncidence, d'écart.» (*Ibid.*, p. 219.)
83. Régine Robin, «L'impossible Québec pluriel», p. 297, 309.
84. Voir par exemple Diane Lamoureux, «Agir sans "nous"», *Les limites de l'identité sexuelle*, Québec, Les Éditions Remue-ménage, 1998.

de convergence justement souhaité par Robin. Cette dernière est sans doute de bonne foi lorsqu'elle écrit qu'il faut maintenant élaborer un « projet qui abandonne les nostalgies fusionnelles au profit d'une nouvelle philosophie du partage à égale distance du néo-herderisme romantique qui guette toujours le Québec et de l'idéologie néo-libérale et consumériste qui sert de modèle actuellement, à égale distance des retours du "nous autres" et de l'éclatement postmoderne[85] ». Toutefois, comme chez Derriennic et Angenot, on cherche dans les prolégomènes de sa pensée de la citoyenneté ce qui permettrait au Québec d'éviter l'aplanissement culturel. « À la problématique de la différence, il faut, opine Robin, opposer fermement dans un monde hostile qui se ghettoïse une problématique de l'altérité, à penser dans le cadre d'un nouvel universalisme[86]. » Le respect de l'altérité évoqué par Robin est certes essentiel, mais il n'est pas évident que son idéal de citoyenneté civique indifférenciée puisse vraiment encadrer et assurer ce respect. Il lui revient donc de préciser les termes de ce « nouvel universalisme ».

Par une sorte de glissement, la critique du nationalisme s'achève souvent par un plaidoyer pour un idéal universaliste et cosmopolitique. On peut retrouver ce glissement, à différents degrés et sous différentes formulations, chez tous les auteurs étudiés dans ce chapitre. Or, si les antinationalistes contribuent à dévoiler la suffocation identitaire créée par un certain discours nationaliste, ils me semblent eux aussi enfermer et figer l'identité québécoise dans des catégories identitaires étanches et hermétiques. Par un étonnant revirement, l'antinationalisme se trouve donc affligé du mal qu'il dénonce : « l'épinglage »

---

85. *Ibid.*, p. 309.
86. Régine Robin, « Défaire les identités fétiches », p. 238.

de l'identité, pour reprendre l'expression de Robin. En effet, en bloquant l'accès – volontairement ou non – à une identification collective commune, les antinationalistes figent les Québécois dans une identité cosmopolite qui fragilise l'espace culturel et intersubjectif nécessaire à l'élaboration d'une identité à la fois plurielle et distincte; une identité qui résiste donc au confort de l'homogénéité jacobine et aux pressions en faveur du nivellement culturel du monde. Comme je m'appliquerai à le démontrer dans l'ultime chapitre de ce livre, il faut renvoyer dos à dos les nationalismes et les cosmopolitismes «exclusivistes». S'il revient au théoricien d'exhiber les exclusions créées et entretenues par certains discours, pratiques ou institutions, il ne lui revient pas d'ordonner les fidélités, les allégeances et les horizons de sens des individus.

CHAPITRE 4

De l'identité à la démocratie :
le Québec à l'épreuve du pluralisme

L'imaginaire québécois est assiégé par les représentations identitaires que sont le nationalisme mélancolique et l'antinationalisme cosmopolitique. L'identitaire
québécois ne se résume toutefois pas à ces deux codes
paradigmatiques. D'autres voix s'élèvent et viennent
désaccorder, troubler, problématiser cette opposition
pérenne. En plus de Laforest et Létourneau, des intellectuels et écrivains comme Sherry Simon, Pierre Nepveu,
Marco Micone, Monique LaRue, Mikhäel Elbaz, Simon
Harel, Danielle Juteau et Daniel Salée, pour n'en nommer
que quelques-uns, pensent et disent le Québec à l'extérieur de la structure dichotomique nationalisme-
antinationalisme. Le Québec est de plus en plus raconté
comme une communauté de conversation dissensuelle et
éclatée où différentes narrations se tolèrent, se croisent et
s'entremêlent sans être affublées d'inauthenticité pour
autant[1]. Dans la première partie de ce chapitre, je
m'appliquerai à définir le caractère pluriel et métissé des

---

1. Pour des interprétations légèrement différentes du concept de
« communauté de conversation », voir Jeremy Webber, *Reimagin-
ing Canada : Language, Culture, Community, and the Canadian
Constitution*, Montréal et Kingston, McGill-Queen's University
Press, 1994 ; et Will Kymlicka, *Finding our Way*, Toronto, Oxford
University Press, 1998.

181

identités culturelles contemporaines. L'accomplissement de cette tâche passe nécessairement, à mon sens, par une réflexion interdisciplinaire où doivent être convoquées la philosophie, l'anthropologie, la science politique, la sociologie, l'histoire et les études littéraires. En deuxième partie, je tenterai de ramener ces considérations théoriques dans le contexte du Québec contemporain.

NATIONS, CULTURES ET AUTRES LIEUX IDENTITAIRES : LA MULTIPLICATION CONTEMPORAINE DES ESPACES DE DIALOGUE ET DES HORIZONS DE SENS

Selon Heidegger, la distinction ontologique établie par la philosophie traditionnelle entre la théorie et la pratique repose sur une mécompréhension du «*Là*», c'est-à-dire de l'ouverture-au-monde. Pour le philosophe allemand, la théorie et la thématisation sont des façons d'être-au-monde, donc des *pratiques*, parmi tant d'autres. L'observation des politiques *et* des théories contemporaines de l'identité donne raison à Heidegger. Tant dans les livres que dans les sphères de délibération publique, les perspectives monistes et pluralistes sur l'identité s'affrontent et se répondent mutuellement[2]. Donc, même s'il faut affirmer avec Stuart Hall que les identités, après avoir été déconstruites, ne «peuvent plus être pensées de la même façon[3]»,

---

2. La première partie de ce chapitre est basée sur la première section de l'article que j'ai écrit en collaboration avec Dimitrios Karmis : «Two Escape Routes from the Paradigm of Monistic Authenticity : Post-Imperialist and Federal Perspectives on Plural and Complex Identities», *Ethnic and Racial Studies*, à paraître en 2001.
3. Stuart Hall, «Who needs Identity?», *Questions of Cultural Identity*, S. Hall et Paul du Gay (dir.), Londres, Sage, 1996, p. 2.

il faut aussi reconnaître que les conceptions et les pratiques exclusivistes et substantialistes n'ont pas rendu l'âme pour autant. Toutefois, les perspectives essentialistes, c'est-à-dire les approches qui élident l'historicité des identités et qui tentent de leur épingler une substance, une «fibre» ou une authenticité immuables, font face à une pléthore de perspectives non essentialistes et constructivistes. De plus, alors que la fascination marxiste pour les classes sociales est enrichie (et non remplacée) par d'autres enjeux tels que le genre, l'identité sexuelle et l'ethnicité[4], que le libéralisme peut de moins en moins se camoufler derrière une factice neutralité politique et que le nationalisme est transgressé autant de l'intérieur que de l'extérieur, les combats pour la reconnaissance des peuples, cultures ou groupes minoritaires prennent de plus en plus, depuis au moins une bonne trentaine d'années, la forme des politiques de l'identité.

Depuis le XIXᵉ siècle, la nation est la plus puissante source d'identification collective. Le nationalisme, comme rapport à soi et aux autres, diffère conséquemment des idéologies politiques modernes. Benedict Anderson, dans son analyse classique, suggère que le nationalisme, en tant que signifiant social garant de la continuité d'une communauté imaginée dans le temps et dans l'espace, relève davantage de l'imaginaire religieux que des idéologies politiques[5]. Même à l'âge de la mondialisation et de l'intégration politique et économique radicale, des nations naguère étouffées luttent pour la reconnaissance de leur

---

4. Pour une critique efficace du réductionnisme marxiste, voir Ernesto Laclau et Chantal Mouffe, *Hegemony and Socialist Strategy*, Londres, Verso, 1985; et Danielle Juteau, *L'ethnicité et ses frontières*, Montréal, Les Presses de l'Université de Montréal, 1999.
5. Benedict Anderson, *Imagined Communities*, Londres et New York, Verso, 1991, p. 10.

identité et pour l'obtention d'une certaine autonomie politique. C'est ainsi que Craig Calhoun a raison d'affirmer que l'identité nationale a presque toujours été perçue comme étant plus importante et catégorique que les autres identités du sujet moderne[6]. Toutefois, ce que des penseurs comme Anderson et Bhabha appellent «le temps vide et homogène» des nations est maintenant perturbé. Selon Bhabha, l'écriture de la nation émerge de la fissure entre la temporalité «continuiste et accumulative» du nationalisme (le *pédagogique*) et la reformulation et la transgression constantes de cette narration historique dans le présent (le *performatif*)[7]. Il y aurait selon lui un décalage entre l'histoire racontée sur la nation pour lui donner une certaine cohérence et l'appropriation de ce récit par les personnes et les groupes qui composent la nation. La nation est donc le fruit d'une dynamique complexe entre l'écriture ou la mise en récit de l'expérience collective et l'énonciation de cette même expérience par des sujets individuels et collectifs dans le présent.

Or il est maintenant largement accepté que ces sujets individuels et collectifs jouissent d'une pluralité de lieux identitaires. Il ne va plus de soi, bien qu'il ne le fût peut-être jamais, que la nationalité puisse être considérée comme une identité collective englobante capable d'ordonner les autres allégeances et identifications du citoyen[8].

---

6. Craig Calhoun, «Nationalism and Civil Society», *Social Theory and the Politics of Identity*, Craig Calhoun (dir.), Oxford et Cambridge, Blackwell, 1994, p. 331. Voir aussi son *Nationalism*, Buckingham, Open University Press, 1997.
7. Homi Bhabha, *Location of Culture*, Londres et New York, Routledge, 1994, p. 145.
8. Étienne Balibar a donc raison d'affirmer que «la nation, qui est une institution politique toujours virtuellement profane même lorsque la séparation de l'Église et de l'État n'est pas proclamée officiellement, *n'est pas suffisante* pour totaliser ou "hégémoniser" les

Sans sous-estimer l'importance des identités nationales, il est maintenant impossible de tenir pour acquis que la nationalité vient nécessairement avant les autres filières identificatrices du sujet telles que l'ethnicité, le genre, l'identité sexuelle, l'appartenance de classe, etc. En cette période de modernité plurielle, la nationalité est une source d'identification collective, certes importante, mais une parmi d'autres. Puisque les frontières des identités culturelles n'épousent pas toujours celles des identités nationales (en raison du caractère multiculturel ou poly-ethnique des États-nations contemporains), je tenterai d'abord de saisir ce que sont les identités culturelles à l'âge du mouvement et de la diversité.

En tant qu'agent culturel, le sujet chemine et évolue dans et à travers des cultures qui ne sont pas des codes statiques et immuables, mais bien des processus dynamiques et évolutifs. Les cultures ne sont pas ces lieux homogènes décrits par certains penseurs communautariens où l'agent « découvre » son identité en approfondissant sa connaissance de sa communauté. À l'inverse, les milieux culturels sont des « étranges multiplicités » où les identités sont faites, défaites et refaites. Comme le suggère Simon, « la culture n'est pas une enveloppe, source rassurante de signification immédiate, mais un ensemble de discours et de pratiques qui se font concurrence sur le terrain

---

discours, pratiques, formes d'individualité (jeux de langage et formes de vie dans la terminologie wittgensteinienne), et ce, même si la nation s'est montrée incomparablement plus efficace que n'importe quelle religion universelle dans sa tentative de comprimer les "appartenances communautaires" ». (« Culture and Identity », *The Identity in Question*, John Rajchman (dir.), Londres et New York, Routledge, p. 181 (c'est moi qui traduis).) Voir aussi Jacques Beauchemin, « Défense et illustration d'une nation écartelée », *Penser la nation québécois*, p. 273.

symbolique[9]». Une culture est un site pluriel et intersubjectif producteur de sens, de possibilités de dévoilement, de reconnaissance potentielle, de dépaysement et, malgré tout, d'une conscience de soi collective. Selon Tully,

> les cultures ne sont pas uniformes intérieurement. Elles sont sans arrêt contestées, imaginées, réimaginées, transformées, négociées, tant par leurs membres que par leur interaction avec d'autres cultures. L'identité, et par suite la signification, de toute culture varie ainsi avec les perspectives plutôt qu'elle n'est essentielle [l'identité et la signification d'une culture sont *aspectival* plutôt qu'*essential*]: comme plusieurs phénomènes humains tels que la langue ou les jeux, l'identité culturelle se modifie dès qu'on l'envisage sous différents angles et qu'on fait ainsi apparaître plusieurs aspects de la même réalité. La diversité culturelle est un labyrinthe embrouillé de différences *et* de points communs culturels entrelacés, et non un dispositif panoptique composé de visions du monde fixes, indépendantes et sans commune mesure, dans lequel nous serions soit des prisonniers, soit des spectateurs cosmopolites installés dans une tour centrale d'observation[10].

Les années 90 ont donné lieu à une extraordinaire floraison d'études sur le caractère hybride des identités culturelles. À l'instar de Simon et Tully, l'anthropologue James Clifford prétend qu'une culture est un «paradoxe évolutif», une «incessante traduction», une «invention à plusieurs auteurs» et une «négociation non consensuelle d'identités contrastées»[11]. Les cultures sont constituées et

9. Sherry Simon, *Fictions de l'identitaire au Québec*, Sherry Simon, Pierre L'Hérault, Robert Schwartzwald, Alexis Nouss, Montréal, XYZ éditeur, 1991, p. 26.
10. James Tully, *Une étrange multiplicité. Le constitutionnalisme à une époque de diversité*, Sainte-Foy, Les Presses de l'Université Laval, 1999, p. 10-11.
11. James Clifford, *Routes: Travel and Translation in the Late Twentieth-Century*, Londres, Harvard University Press, 1997, p. 24 (c'est moi qui traduis).

DE L'IDENTITÉ À LA DÉMOCRATIE...

se constituent de façon relationnelle et par un processus d'appropriation/traduction. On retrouve par conséquent le différent autant à l'intérieur qu'à l'extérieur des identités. La *différence* est à la fois intrinsèque *et* extrinsèque à chaque collectivité. Cette trace de différence qui s'anime au cœur de l'identité a été en grande partie dévoilée par des penseurs influencés plus ou moins directement par le poststructuralisme. L'interprétation moderniste de la différence, nulle part plus patente que dans le travail de Thomas Hobbes, fait de la différence ce qui est extérieur au *soi*. L'identité se constitue en s'érigeant contre une différence nécessairement réifiée. C'est ainsi que les oppositions sujet-objet, nous-eux, dedans-dehors ou ami-ennemi sont construites comme des entités dichotomiques hermétiques et mutuellement exclusives. Et la stabilisation et la préservation de l'intégrité du soi passent par la réitération constante de cette différence soi-disant ontologique entre le soi et l'autre[12]. La création d'une homogénéité identitaire nécessite l'hypothèse d'un dehors radicalement hétérogène et, par le fait même, menaçant[13]. L'orientalisme décrit par Edward Saïd est sans doute l'exemplification la plus révélatrice de ce processus de

---

12. Il s'agit là de ce que William Connolly nomme la « ré-assurance de l'identité par la construction de l'autre ». *Identity/Difference : Democratic Negotiations of Political Paradox*, Ithaca et Londres, Cornell University Press, 1991, p. 9 (c'est moi qui traduis).
13. Rob Walker, professeur de théorie politique à l'Université de Victoria, a démontré comment l'argument « réaliste » en relations internationales voulant que seul le chaos et l'anarchie puissent caractériser un ordre international constitué d'États-nations est fondé précisément sur la résolution spatiale hobbésienne du problème de l'autorité. (R.B.J. Walker, *Inside/Outside : International Relations as Political Theory*, Cambridge, Cambridge University Press, 1993.)

production/reproduction de l'identité par la réification de l'autre. Les orientalistes, dans leur « démonisation imaginative du mystérieux Orient », postulent l'existence d'une différence ontologique et épistémologique entre l'Occident (le *familier*) et l'Orient (l'*étrange*)[14]. Dans *L'orientalisme*, Saïd s'efforce de montrer « que la culture européenne s'est renforcée et a précisé son identité en se démarquant d'un Orient qu'elle prenait comme une forme d'elle-même inférieure et refoulée[15] ». De plus, poursuit Saïd, « ce qui donnait au monde de l'Orient son intelligibilité et son identité n'était pas le résultat de ses propres efforts, mais plutôt toute la série complexe de manipulations intelligentes permettant à l'Occident de caractériser l'Orient[16] ».

On peut trouver dans la dialectique hégélienne une version raffinée de cette interprétation de la différence. Dans la philosophie politique de Hegel, dans l'une de ses interprétations possibles, le stade du « droit abstrait » (où le sujet nie et invalide l'essence qui lui avait été *a priori* conférée) et le stade de la « moralité subjective » (où la volonté abstraite se donne un contenu par la rencontre avec d'autres subjectivités) se réconcilient dans le dernier moment de la dialectique hégélienne (le stade de la synthèse ou de la « moralité objective »)[17]. La différence se trouve ainsi dissoute dans l'identité. L'identité et la différence sont engouffrées dans une nouvelle identité synthétique. Bien sûr, le mouvement dialectique n'atteint nul repos, ne se fige pas dans l'Histoire. Le processus est

---

14. Edward W. Saïd, *L'orientalisme. L'Orient créé par l'Occident*, traduit par C. Malamoud, Paris, Seuil, 1980, p. 15.
15. *Ibid.*, p. 16.
16. *Ibid.*, p. 55.
17. Georg Wilhelm Hegel, *Principes de la philosophie du droit*, traduit par André Kann, Paris, Gallimard, 1940.

continu. Toutefois, comme je l'indiquerai plus loin, il me semble bien y avoir un moment de réconciliation où les différentes subjectivités en viennent à se reconnaître parfaitement dans une conception de la vie éthique. De toute façon, l'enjeu n'est pas ici de rentrer dans les détails de la philosophie du droit hégélienne, mais plutôt de montrer comment la philosophie politique classique a traité le concept de différence. Or il appert que, d'un côté, l'identité se façonne et se maintient en s'opposant à une différence chosifiée (Hobbes) et que, de l'autre, l'identité absorbe la différence (Hegel). Dans les deux cas, la différence s'étiole, disparaît.

Maintenant que de nombreux auteurs ont tenté de déconstruire l'opposition binaire entre le soi et l'autre, il semble possible de penser «différemment» au sujet de la différence. La différence est aussi endogène à l'identité. Même si elle ne se trouve pas complètement dissoute, la différence ne peut pas toujours être *décantée* de l'identité. C'est pourquoi Stuart Hall considère que le contact et l'interaction avec la différence sont les conditions de possibilité de la création de l'identité : «les identités sont construites à travers, et non à l'extérieur, de la différence[18].» Cette trace irréductible d'altérité au cœur même de l'identité nous permet de comprendre la formule à première vue sibylline de Jacques Derrida voulant que les identités ne soient pas complètement identiques à elles-mêmes. Selon Derrida,

> le propre d'une culture, c'est de n'être pas identique à elle-même. Non pas de n'avoir pas d'identité, mais de ne pas pouvoir s'identifier, dire «moi» ou «nous», de ne pouvoir prendre la forme du sujet que dans la non-identité à soi ou, si vous préférez, la différence *avec soi*. Il n'y a pas de culture

---

18. Stuart Hall, *op. cit.*, p. 4.

ou d'identité culturelle sans cette différence *avec soi*. [...]
Dans ce cas, la différence à soi, ce qui diffère et s'écarte de
soi-même, serait *différence (d') avec soi*, différence à la fois
interne et irréductible au « chez soi »[19].

La prise de conscience du caractère hétérogène des
identités culturelles exhume les emprunts, les échanges, les
traductions – donc les *fissures* – constitutives de notre
propre identité et, par le fait même, disqualifie toutes les
politiques de l'identité ou de la reconnaissance fondées sur
l'allégation d'une homogénéité ou d'une pureté culturelles. Comme le suggère pertinemment Bhabha, les identités ne sont pas « transparentes[20] ». Les narrations identitaires émanent de dialogues conscients et inconscients
avec l'autre, qui se trouve lui-même à l'intérieur et à
l'extérieur des identités culturelles. Les identités prennent
forme dans l'interprétation d'une expérience évolutive,
évanescente et impossible à circonscrire complètement.
Toutefois, contrairement à ce qui est avancé par un certain
type de postmodernisme, ce schéma interprétatif ne

---

19. Jacques Derrida, *L'autre cap*, Paris, Les Éditions de Minuit, 1991,
p. 16. On saisit ici pourquoi Bouthillette, en souhaitant que les
Canadiens français redeviennent identiques à eux-mêmes, s'est
condamné à la déception perpétuelle : « Nous ne sommes pas
disparus, mais nous ne sommes plus identiques à nous-mêmes. »
(*Le Canadien français et son double*, p. 25.) Il est important de
noter ici que Derrida applique au concept d'identité culturelle
l'enseignement de Wittgenstein : « "Une chose est identique à elle-
même." Il n'y a pas d'exemple plus subtil d'une proposition
inutile qui, cependant, est lié à un certain jeu de la représentation. » (Ludwig Wittgenstein, *Investigations philosophiques*, traduit
par Pierre Klossowski, Paris, Gallimard, 1961, paragraphe 216,
p. 206.)
20. Homi Bhabha, « The Third Space : Interview with Homi
Bhabha », *Identity : Community, Culture, Difference*, John
Rutherford (dir.), Londres, Lawrence & Wishart, 1990, p. 208.

culmine pas dans l'affirmation relativiste de l'incommen-
surabilité des cultures; affirmation qui rend impossible
tout dialogue inter- et transculturel. Au contraire,
l'«autre» est ici perçu comme un arrangement complexe
de différences *et* de similitudes, et non pas comme un lieu
de pure opacité et altérité. C'est ainsi que culture, nation
et autres lieux identitaires peuvent être pensés comme des
espaces de dialogue plurivoque et dissensuel.

Ce que des auteurs postcolonialistes nomment «l'expérience diasporique» peut nous aider à comprendre la
pluralisation des identités culturelles et la dissémination
des communautés de conversation. En faisant de l'expérience diasporique un trope, ces auteurs n'entendent pas
trivialiser l'histoire et les singularités historiques dont se
réclament les diasporas. Chaque diaspora est détentrice
d'expériences historiques particulières et il est fort difficile
d'esquisser une théorie exhaustive des diasporas que l'on
pourrait déployer dans chaque contexte spatio-temporel.
L'expérience diasporique renvoie plutôt à un certain
sentiment de dépaysement qui n'est pas étranger, du
moins en principe, aux sujets politiques nationaux qui
vivent avec la différence à l'intérieur même de leur culture
d'origine. Les identités diasporiques, composées à la fois
d'enracinements et d'arrachements *(roots and routes)*,
brouillent et perturbent l'association intuitive entre espace
et communauté. En entretenant des liens complexes
autant avec la communauté d'origine qu'avec le pays d'accueil, les subjectivités diasporiques nous permettent
d'imaginer comment des personnes peuvent créer de
nouveaux «nous» sans pour autant partager le même
territoire. Selon Clifford, les relations et les réseaux diasporiques exemplifient comment «des endroits dispersés
deviennent, par la circulation continuelle de personnes,
d'argent, de biens et d'informations, une seule

communauté[21] ». Josée Bergeron a donc raison d'affirmer qu'il faut « reconnaître que si les identités peuvent se superposer, les espaces aussi le peuvent. On peut se situer dans plusieurs espaces à la fois[22]. » Une seule et même personne peut appartenir en même temps à la communauté italienne de Montréal (entretenant donc des relations complexes et particulières avec l'Italie, le Québec et le Canada), à un mouvement environnementaliste transnational, à une communauté virtuelle, à différents réseaux locaux, tout en se définissant comme un « citoyen du monde », selon la formule éculée. La priorité accordée à ces affiliations peut changer dans le temps et la plénitude peut s'incarner, pour certains, précisément dans le maintien d'un équilibre précaire entre des identifications parfois confluentes, parfois contradictoires. Il ne revient plus à la philosophie politique de hiérarchiser les communautés d'appartenance du sujet contemporain. Et les langages monistes, qu'ils soient marxiste, nationaliste, ethnique ou cosmopolitique, ne parviennent plus à articuler l'expérience vécue par des sujets-citoyens pris dans de tels réseaux identitaires. Or les identités diasporiques nous offrent justement une multiplicité d'exemples de communautés *déterritorialisées* qui rendent les identités collectives exclusivistes et totalisantes hautement problématiques. Difficilement compatibles avec les discours sur la pureté culturelle véhiculés par certains groupes nationalistes et avec la neutralité libérale, les identités diasporiques encouragent la mise en place de formes de citoyenneté plurielles, différenciées (Iris Marion Young) et non absolutistes (Clifford).

21. James Clifford, *op. cit.*, p. 246 (c'est moi qui traduis).
22. Josée Bergeron, « Identité choisie, imposée, suggérée », *Francophonies d'Amérique*, numéro 9, 1999, p. 154.

Les sujets diasporiques *et* nationaux portent potentiellement des identités multiples et évoluent – à différents degrés et dans des conditions socio-économiques inégales – dans des communautés hétérogènes et bigarrées. La différence est inscrite dans les pores mêmes des cultures et les sources de l'identité personnelle sont multiples et disséminées. L'impossibilité d'une coïncidence parfaite entre la partie et le tout, ou entre l'individu et la communauté, est l'une des conséquences que l'on doit tirer de cette pluralisation. En effet, la multiplicité des codes identitaires qui se trouvent au cœur même des individus fait imploser les conceptions organiques des communautés. Par exemple, des personnes partageant le même genre et la même nationalité peuvent se sentir partiellement étrangères l'une à l'autre en raison de leur identité sexuelle ou de leurs affiliations politiques antinomiques. Même à l'intérieur des frontières (mouvantes) d'une identité collective, comme l'ancienne identité canadienne-française par exemple, les mémoires sont trop plurielles et les projections dans le futur trop diverses pour que ce «nous» puisse parler à l'unisson. Les espaces politiques et culturels se font à même une diversité de narrations et de trajectoires identitaires. Ainsi que l'exprime Simon encore une fois, l'expérience de la «diffraction culturelle», loin d'être l'apanage des migrants, est vécue et éprouvée au sein même des cultures nationales. Les cultures sont des sites ambivalents configurés par la rencontre entre différentes *authenticités*. C'est pourquoi il devient de plus en plus difficile de dire «nous» ou, pour reprendre les mots de Fernand Dumont, d'élaborer des «raisons communes» à l'époque de la diversité.

L'autodescription de Tzvetan Todorov comme un *homme dépaysé* peut aussi agir à titre de trope pour illustrer le potentiel d'étonnement/désorientation que le contemporain peut vivre même *chez soi*. Le phénomène de transculturation dont parle Todorov n'est pas exclusivement vécu par le migrant qui acquiert et assimile les codes identitaires de sa nouvelle culture sans pourtant se délester de son identité culturelle originelle. La transculturation est aussi expérimentée par le sujet national qui appartient à différentes communautés imaginées et qui vit *chez soi* avec la différence. Selon l'anthropologue Arjun Appadurai, en raison de la migration de masse et de la mondialisation des moyens de communication, les gens vivent maintenant dans divers «mondes imaginés», c'est-à-dire «les multiples mondes qui sont constitués par l'imagination historiquement située de personnes et de groupes dispersés aux quatre coins de la planète[23]». Toutefois, être dépaysé, cela n'implique pas que l'on soit (nécessairement) apatride en son propre pays. Cela signifie plutôt que des compatriotes peuvent vivre la même réalité nationale à des pulsations et à des niveaux différents. Comme nous l'avons vu avec Tully, le sujet aborde sa culture depuis une pluralité de perspectives qui font apparaître les divers *aspects* constitutifs de son identité culturelle. Une identité se dévoile différemment selon l'angle à partir duquel elle est interprétée. Bhabha a probablement cette ambivalence latente en tête dans ses références constantes aux phénomènes de «liminalité», d'«espace tiers» et d'«entre-deux». On retrouve chez Bhabha l'idée que le «présent» de sujets appartenant à la même nation ne coïncide pas toujours, ce qui trouble inévitablement leur sentiment de contemporanéité[24].

---

23. Arjun Appadurai, *Modernity at Large. Cultural Dimensions of Globalization*, Minneapolis et Londres, University of Minnesota Press, 1996, p. 33 (c'est moi qui traduis).
24. Homi Bhabha, *op. cit.*, p. 150.

Personne, comme le suggère Clifford, ne peut être un « *insider* » dans toutes les sphères et dimensions de sa communauté. En réalité, le sujet contemporain est dépaysé, puisqu'il est fréquemment étonné et troublé par la complexité de sa propre identité, de celles de ses congénères et de celles de ses communautés d'appartenance. L'identité, appréhendée d'un point de vue non hégélien, excède notre capacité de synthèse[25].

Il devient donc de plus en plus difficile de penser la communauté nationale dans une perspective hégélienne. Le sujet, pour Hegel, n'est pas une monade ou un atome. Le sujet peut seulement gagner en intelligibilité à propos de lui-même et s'actualiser dans ses différents rôles en s'engageant dans un ordre éthique qui transcende sa propre subjectivité. Considérant l'impératif catégorique de Kant comme un « vain formalisme », Hegel croit que ce n'est que par l'accomplissement d'une série d'obligations morales définies par sa communauté que le sujet peut en arriver à donner une substance et une orientation à sa raison pratique. Ces devoirs forment ce que Hegel appelle la « vie éthique » ou l'« éthique concrète » *(Sittlichkeit)*. Comme nous le rappelle Charles Taylor, le terme « *Sittlichkeit* renvoie à mes obligations morales envers la communauté à laquelle j'appartiens [...] Mes obligations découlent de la poursuite de cette vie commune, laquelle peut se poursuivre parce que je remplis mes

---

25. « À chaque fois la rencontre avec l'identité surgit au moment où quelque chose excède le cadre de l'image, cette rencontre se dérobe au regard, expulse le soi en tant que site d'identité [dans le sens de « mêmeté »] et d'autonomie, et – plus fondamentalement – laisse une trace persistante, une tache du sujet, un signe de résistance. Nous ne sommes plus confrontés au problème ontologique de l'Être, mais plutôt à la stratégie discursive du moment d'interrogation [...] » *(Ibid.*, p. 42 (c'est moi qui traduis).)

obligations[26]». La vie éthique, qui prend forme dans l'État, est composée des normes, mœurs, traditions et institutions d'une communauté politique donnée. Pour le dire simplement, le sujet actualise sa liberté en s'acquittant des devoirs et en respectant les normes qu'il a lui-même contribué à édifier dans l'exercice de sa volonté subjective (le premier moment de la dialectique). Même si l'on peut trouver dans les *Principes de la philosophie du droit* des paragraphes qui pourraient effaroucher certains penseurs libéraux, l'État hégélien n'est pas despotique pour autant. L'État hégélien est plutôt un lieu de réconciliation ou de synthèse entre la liberté individuelle et les obligations inhérentes à la vie en société.

C'est toutefois cette réconciliation qui est entravée par le procès de pluralisation des identités décrit dans ce chapitre. Chez Hegel, comme le soutient Taylor, «l'ensemble des pratiques et des institutions constituant la vie publique de la communauté exprime les normes les plus importantes et les plus essentielles à l'identité de ses membres, de sorte que ceux-ci ne conservent leur identité qu'en participant à ces pratiques et institutions [...][27]». Puisque l'identité dépend en dernière instance du respect de ces règles et de ces normes, le sujet doit réserver son «allégeance ultime» à ce lieu identitaire premier et incontournable qu'est la communauté politique[28]. Or il est fort possible que le sujet contemporain, potentiellement dépaysé et devant souvent accommoder des affiliations contradictoires, suffoque dans une conception organique de la communauté comme celle qui est défendue

---

26. Charles Taylor, *Hegel et la société moderne*, Sainte-Foy, Les Presses de l'Université Laval, 1998, p. 83.
27. *Ibid.*, p. 93.
28. *Ibid.*, p. 81.

par Hegel. Il semble plus prometteur de voir la communauté comme un foyer de délibération et d'articulation, et non de fusion. En corollaire, il faut aussi rejeter l'idée que la survivance et la stabilité d'une communauté dépendent ultimement d'une série de valeurs convergentes qui font consensus. Bien sûr, à chaque période de l'histoire d'une communauté correspondent certaines raisons communes. Toutefois, dans la longue durée, c'est en tant que sites agoniques de narration, de dévoilement, de délibération, de reconnaissance hypothétique et de dissension que les communautés demeurent des lieux identitaires essentiels. En d'autres termes, les communautés – qui ne se limitent ni à la nation ni à la filiation ethnique, mais qui incluent évidemment ces deux types d'identités collectives – sont des «communautés de conversation» plurivoques et, par le fait même, dissensuelles.

Ce qu'il faut critiquer dans la conception hégélienne de la communauté (conception que plusieurs théoriciens contemporains de la nation ont d'ailleurs réarticulée), ce n'est donc pas l'idée que la communauté soit indispensable au développement de l'identité. Les pratiques de développement et de formation de l'identité sont des processus dialogiques ou intersubjectifs. L'intersubjectivité ne procède pas exclusivement de l'intérêt bien entendu d'agents rationnels et désengagés qui décident d'entrer en relation avec d'autres agents rationnels. L'identité, en tant que récit interprétatif, ne peut émerger que du partage d'un langage et de la confrontation des perspectives sur ce monde partagé. L'herméneutique de soi nécessite le dialogue avec l'autre; l'identité est dialogique avant d'être monologique[29]. C'est en évoluant

---

29. Il s'agit là d'une des raisons expliquant pourquoi le sujet pensant cartésien fut, de Wittgenstein et Heidegger jusqu'à Foucault et Taylor, sans cesse critiqué par des philosophes du XXᵉ siècle.

au sein de «toiles d'interlocution», pour reprendre l'expression de Taylor, que le sujet contemporain développe les interactions nécessaires au maintien et à l'essor d'une identité personnelle qui peut de moins en moins se voir confirmée par des sources identitaires métanarratives ou transcendantales. Les derniers remparts identitaires se sont largement écroulés avec la sécularisation du monde.

C'est donc la propension à vouloir ordonner les allégeances et les fidélités du sujet qu'il faut remettre en question chez les conceptions hégélienne et néo-hégélienne. Il est indéniable que l'identité nationale, offrant au sujet un langage, une ou des histoires et un point d'ancrage pour appréhender le monde, est d'une importance fondamentale dans le développement de l'identité. Sur la base de cette position, on ne peut pas pour autant hiérarchiser, comme le font certains théoriciens, les filières identificatrices du sujet. Par exemple, Daniel Jacques, dans sa défense prudente et modérée de la nation, considère qu'il revient au philosophe d'«ordonner» les filiations multiples du sujet contemporain : «il n'est nullement question de chercher à nier l'existence d'une pluralité d'allégeances dans les sociétés modernes, voire de réduire celle-ci à une imaginaire unité, tout au plus s'agit-il d'*ordonner* cette diversité incontournable de manière à éviter la contradiction[30].» Jacques accepte donc le pluralisme identitaire et moral dans la mesure où celui-ci ne remet pas en cause la prédominance de l'identification nationale. Dans *Nationalité et modernité*, Jacques lie le sort de la liberté des Modernes à celui de la nation. En effet, le philosophe défend l'argument voulant que la nation

---

30. Daniel Jacques, *Nationalité et modernité*, Montréal, Boréal, 1998, p. 19 (c'est moi qui souligne).

demeure, à ce moment précis de notre histoire[31], l'espace le plus approprié dans lequel peut s'incarner l'agir politique et le lieu de reconnaissance le plus important pour les sujets contemporains. C'est pourquoi la nation « ne doit pas être simplement envisagée comme un attachement parmi d'autres, comme une communauté au sein d'une myriade d'autres communautés dans un État multiculturel[32] ».

Il devient pourtant de plus en plus évident que si la nation demeure pour plusieurs une structure de dévoilement et de reconnaissance de première importance, une pléthore d'autres lieux identitaires contestent le monopole de la nation. Le genre, l'identité sexuelle, l'ethnicité, les classes sociales, les nouveaux mouvements sociaux, le positionnement générationnel et les communautés cybernétiques sont tous des référents identitaires et des lieux de *passage à l'acte* politique avec lesquels la nationalité coexiste et rivalise. Il nous faut maintenant reconnaître que les espaces intersubjectifs et les communautés de conversation nécessaires au façonnement de l'identité sont pluriels et dispersés. Et que le sujet peut agir politiquement dans une multiplicité de sphères. Venne et Jacques doivent nous montrer, à l'heure des nouveaux mouvements sociaux et de la prolifération des identités politiques, comment et pourquoi la nation est « notre seul lieu proprement politique[33] ». La nation n'est pas toujours la

---

31. Jacques précise à plus d'une reprise qu'il n'accorde pas une valeur à la nation *en soi*. La nation comme forme d'organisation politique est «historiquement contingente» et, par conséquent, sa défense ne peut être que contextuelle.

32. *Ibid.*, p. 226.

33. Daniel Jacques, «Des conditions gagnantes aux conditions signifiantes», *op. cit.*, p. 84. Voir aussi Michel Venne, «La fin d'un faux débat entre nationalismes civique et ethnique», *Le Devoir*, 14 avril 2000.

meilleure – et rarement la seule – délimitation politique possible et souhaitable pour le sujet. Des dilemmes et des conflits surgissent souvent entre ces appartenances multiples. Par exemple, une femme autochtone vivant au Canada peut livrer bataille à la fois contre le machisme et le néocolonialisme; donc à la fois pour l'application de la Charte des droits et libertés au sein de sa communauté et pour le droit des peuples autochtones à l'autodétermination et à l'autonomie gouvernementale[34]. Comme le suggère Foucault, ce que nous sommes et ce que nous voulons changent avec les problèmes auxquels nous faisons face et fluctuent au rythme de nos pérégrinations identitaires[35]. Encore une fois, il revient donc au sujet lui-même d'ordonner des fidélités et des attachements parfois irréconciliables. Dans le cadre conceptuel esquissé dans cet essai, la liberté réside dans la possibilité de se dévoiler, de délibérer, de revendiquer et d'afficher sa dissension dans une pluralité de sphères intersubjectives, parmi lesquelles figure évidemment la nation[36].

---

34. Comme l'avance Lilanne Krosenbrick-Gelissen, «les femmes autochtones font face à des conflits et des dilemmes particuliers en tentant de réconcilier, en tant que personne autochtone et en tant que femme, leurs aspirations à l'autonomie gouvernementale et leurs aspirations à l'égalité des sexes» («The Canadian Constitution, the Charter, and Aboriginal Women's Rights : Conflicts and Dilemmas», *International Journal of Canadian Studies*, printemps 1993, p. 208.)

35. «L'héroïsme de l'identité politique a fait son temps. Ce qu'on est, on le demande, au fur et à mesure, aux problèmes avec lesquels on se débat : comment y prendre part et parti sans s'y laisser piéger. Expérience avec... plutôt qu'engagement dans...» (Michel Foucault, «Pour une morale de l'inconfort», *Dits et écrits*, Vol. III, Paris, Gallimard, 1994, p. 785.)

36. Pour une perspective à plusieurs égards complémentaire et correspondante à celle qui est déployée ici, voir Geneviève Nootens, «L'identité postnationale : itinéraire(s) de la citoyenneté dans la modernité avancée», *Politique et Sociétés*, volume 18, numéro 3, 1999, p. 99-120.

L'insistance sur le dépaysement que peut vivre et ressentir le sujet au sein même de sa culture d'origine et la « désacralisation » de la nation n'ont pas comme corollaire nécessaire un plaidoyer en faveur des identités postnationales. Il ne s'agit pas d'écrire une ode au déplacement, à l'acculturation, au déracinement perpétuel. Au contraire, cette insistance nous invite plutôt à voir le mouvement, la pluralité et les tensions comme des figures *potentielles* des identités contemporaines. Cela attire aussi notre regard vers toute la polyphonie et la complexité que l'on peut retrouver dans des origines, des mémoires et des visions du futur qui sont partagées par des gens se reconnaissant une identité commune. Il n'est donc pas question d'un « patriotisme » de l'ambiguïté identitaire[37], mais de la reconnaissance qu'il peut y avoir du mouvement et de la non-coïncidence même chez les personnes qui ont choisi (plus ou moins librement selon les cas) la staticité et dont les identités semblent pleines, stables et aisément discernables. Ainsi Clifford, malgré sa détermination à exhiber la complexité des identités des autochtones observés par les ethnologues, récuse toute « nomadologie » :

> Mon but, encore une fois, n'est pas simplement d'inverser les stratégies de localisation culturelle traditionnelle, c'est-à-dire la création des « autochtones » *(natives)*, que j'ai critiquées plus tôt. Je ne dis pas qu'il n'y a plus de « local » ou de « chez soi », que tout le monde est – ou devrait être – en voyage, cosmopolite ou dépaysé. Ce livre n'est pas une nomadologie. Ce qui est en jeu, c'est plutôt une approche comparatiste d'études culturelles pour analyser les tactiques et les histoires spécifiques, les pratiques quotidiennes d'habitation et de voyage : voyager-en-s'installant, s'installer-en-voyageant[38].

---

37. Nancy Huston, *Pour un patriotisme de l'ambiguïté*, Montréal, Fides, 1995.
38. James Clifford, *op. cit.*, p. 36 (c'est moi qui traduis).

L'authenticité ne peut donc être envisagée comme l'adéquation parfaite entre le sujet et sa culture. Il y a une pluralité de façons d'être un sujet authentique[39]. L'authenticité ne peut que se décliner au pluriel. La sphère politique peut certes donner un contenu à la citoyenneté, mais l'authenticité, liée au domaine bien plus vaste de l'identité, ne peut pas être définie de façon substantive. C'est dans ce nouveau contexte que les réflexions critiques sur l'identité prennent toute leur importance pratique. Se rappeler que l'identité se façonne à même la différence peut contribuer à la perforation des frontières de l'authenticité. L'articulation réflexive de l'ambivalence qui se trouve potentiellement au cœur des identités individuelles et collectives peut nous permettre de «politiser des identités naturalisées[40]» ou, en d'autres termes, de percevoir ce qu'il y a de contingent dans des identités que l'on tenait pour nécessaires[41]. Ce regard généalogique sur l'identité peut être à l'origine d'une «sensibilité éthique» face à la différence; une sensibilité éthique qui peut faire en sorte que l'autre ne sera pas démonisé ou annihilé dans l'identité. De plus, ce regard généalogique peut constituer la fondation d'une nouvelle

---

39. Comme le suggère Michel Venne, «nous sommes tous des pure-laine. Certains ont été tricotés ici-même. D'autres sont des Québécois pure laine tricotés ailleurs. Mais la laine des uns n'est pas plus pure que celle des autres.» De plus, être pure-laine, c'est-à-dire un sujet authentique, n'exclut pas (au contraire) le métissage et l'hybridité. (Michel Venne, «Nous sommes tous des pure-laine», *Le Devoir*, 18 octobre 1999, p. A 6.)
40. William Connolly, *op. cit.*, p. 159 (c'est moi qui traduis).
41. Par exemple, Simon suggère «qu'en posant un défi aux catégories pleines et pures, l'hybride déstabilise les certitudes et crée des effets de nouveautés et de dissonance. L'hybridité produit un choc, nous étonne et oblige à replacer nos repères. Elle a le pouvoir de nous troubler et, ainsi, de nous transformer.» (Sherry Simon, *Hybridité culturelle*, *op. cit.*, p. 27.)

identité politique fondée précisément sur le respect de l'altérité et la reconnaissance du caractère hétérogène de la culture partagée. Pour Tully, les délibérations et les débats portant sur les différents visages de l'authenticité peuvent

> créer une nouvelle identité partagée par les différents interlocuteurs : une identité fondée sur le respect de la diversité des identités de leurs concitoyens et sur la prise de conscience de la place de sa propre identité au sein de la diversité d'identités entrelacées. [...] Cette identité partagée fondée sur la sensibilité face à la diversité est précisément l'identité citoyenne *(citizen identity)* capable d'assurer la stabilité des associations politiques multiculturelles et multinationales[42].

En somme, une pluralité d'authenticités se rencontrent et s'interpénètrent sur la place publique afin de recréer perpétuellement la spécificité d'une identité culturelle partagée. En catimini, une nouvelle identité politique érigée à même le respect des narrations identitaires alternatives – voire même contradictoires – peut se dégager de ce dialogue tenu dans des conditions humaines, trop humaines.

Comme nous l'avons vu, cette reconceptualisation des identités culturelles et des communautés de conversation est incompatible avec les ontologies nationalistes et cosmopolitiques exclusivistes. La sensibilité éthique à l'égard de l'autre formulée ici, si elle appelle inévitablement une critique des combats néo-impéralistes pour l'homogénéité et la pureté culturelles, ne camoufle pas une apologie implicite pour les identités postnationales. Que le « chez soi » ne puisse plus être pensé comme un lieu confortable et parfaitement identique à lui-même n'implique pas qu'un sujet vivra le même degré de dépaysement et de

---

42. James Tully, « Identity Politics », *op. cit.*

désorientation partout dans le monde. Le postulat cosmopolitique voulant que l'être humain habite d'abord la raison et, accessoirement, une culture particulière, n'est pas immunisé contre les approches anti-essentialistes. Une fois de plus, la nation demeure pour plusieurs une sphère intersubjective, une agora et un horizon identitaire de première importance. De plus, il est tout à fait possible de se sentir profondément attaché à sa culture (du moins à notre vision perspective de cette culture), et tout spécialement à ses devenirs possibles, tout en entretenant une relation agonique avec elle. Être nationaliste dans le sens (très) large et non traditionnel du terme, c'est-à-dire se sentir attaché à son identité nationale et être animé par le désir d'en faire la promotion, n'implique pas que cette allégeance supplante toujours toutes les autres et que l'universel soit perpétuellement sacrifié au profit du particulier. Dans ce contexte, l'expérience diasporique peut nous permettre de concevoir le « chez soi » non pas comme un lieu de coïncidence parfaite, ni comme un mythe inutile, mais comme le trait d'union indispensable entre les allégeances plurielles et disséminées du sujet. C'est ainsi que je tenterai de penser le Québec dans mes remarques finales.

ENTRE LE CONFORT ET L'INDIFFÉRENCE, L'IDENTITÉ QUÉBÉCOISE

L'ontologie critique, en tant qu'attitude philosophique et pratique de soi, peut servir à historiciser des fragments d'identité sacralisés, à situer et relativiser nos récits identitaires et à problématiser les représentations de nous-mêmes qui se sont cristallisées avec le temps. Par le fait même, l'ontologie critique peut nous aider à nous déprendre de nous-mêmes, à devenir autres. En abordant l'identitaire québécois à partir de cette perspective, mon but était donc d'explorer certaines représentations qui ont servi et qui servent toujours à nommer l'identité québécoise afin d'esquisser, en conclusion, des figures alternatives de nous-mêmes. Même s'il existe de plus en plus de narrateurs qui écrivent une authenticité québécoise plurielle et aux frontières poreuses, l'imaginaire québécois demeure largement occupé par la confrontation pérenne entre les nationalistes mélancoliques et les antinationalistes universalistes. Mon objectif, en écrivant ces *Récits identitaires*, n'était évidemment pas d'éradiquer ces deux narrations paradigmatiques, mais bien de les ramener dans l'agora et de leur opposer d'autres récits qui me semblent produire moins d'exclusion et mieux correspondre à l'expérience québécoise contemporaine. Ces nouveaux récits devront évidemment être repris, critiqués et reformulés. D'ailleurs, le présent chapitre est, pour ainsi dire, «biodégradable». Il devra être récrit ponctuellement et à la lumière de nos nouvelles et incessantes «écologies» de la réalité québécoise, pour reprendre la belle expression de Nepveu.

À l'encontre de plusieurs critiques du nationalisme québécois, il me semble erroné de qualifier la société québécoise d'ethnique, de fermée, de xénophobe et de «ressentimenteuse». Plusieurs études ont démontré le caractère ouvert, pluriel et libéral de la société québécoise[43].

---

43. Voir par exemple Joseph H. Carens, «Immigration, Political Community, and the Transformation of Identity : Québec's Immigration Policies in Critical Perspective», *Is Québec Nationalism Just? Perspectives from Anglophone Canada*, Montréal, McGill-Queen's University Press, 1995 ; et Ines Molinaro, «Contexte et intégration. Les communautés allophones au Québec», *Globe*, volume 2, numéro 2, 1999, p. 101-124.

Bien qu'il existe une faction minoritaire du nationalisme québécois qui demande à l'immigrant de se délester de son identité mémorielle en acceptant la citoyenneté québécoise, les politiques officielles de l'État québécois visent l'intégration plutôt que l'assimilation. L'intégration, même si elle ne se fait pas sans heurts ni sans efforts, favorise l'ouverture du centre et la problématisation de la norme. En d'autres termes, l'intégration invite à la fois à la défense de valeurs convergentes (comme la défense et la promotion du français au Québec) et à la recomposition de la texture et des paramètres de l'identité. La différence, qu'elle soit sexuelle, culturelle, linguistique, de genre ou autre, commence à être vue comme une source à laquelle l'identité peut s'abreuver plutôt que comme un problème à résoudre. On peut penser avec raison que ce processus d'élargissement et de fissuration du centre chemine lentement, mais le Québec n'est pas différent à cet égard des autres sociétés dites libérales.

Si le pluralisme s'inscrit de plus en plus dans les institutions et dans les discours, il n'en demeure pas moins que bon nombre de nationalistes au Québec – professeurs, intellectuels, artistes, politiciens et autres citoyens – considèrent qu'il existe une façon vraie et authentique d'être québécois et qu'il est possible de définir substantivement les éléments constitutifs de la québécité. À une certaine époque, des poètes et des intellectuels soutenaient que l'identité québécoise, pour être authentique, devait s'exprimer en joual. Comme je l'ai expliqué au chapitre 1, certains nationalistes mélancoliques persistent à croire que le Québécois est fondamentalement colonisé. Encore aujourd'hui, plusieurs croient au plus profond d'eux-mêmes que *le vrai Québécois* est souverainiste d'une façon ou d'une autre. Or, en chosifiant ainsi l'identité québécoise, le risque est grand de faire du Québécois une espèce en voie de disparition. Indubitablement, si l'on peut définir *la* substance de l'identité québécoise, on peut aussi déterminer qui est un Québécois authentique et qui ne l'est pas. La définition substantive de la québécité risque fort de disqualifier chaque Québécois pris individuellement. C'est ainsi que Jacques Parizeau, donnant dans l'expatriation identitaire, considère que l'indépendantisme constitue la moelle de l'authenticité québécoise :

> Se sentir québécois, cela vient petit à petit. J'ai moi-même été fédéraliste jusqu'à la fin de la trentaine. J'ai changé d'option quand je me suis rendu compte que dressés l'un contre l'autre, le Québec et le Canada se neutralisent, n'arrivent plus à bouger, s'enfoncent dans des conflits souvent dérisoires. Je n'en veux pas à ceux qui ont décidé d'être Canadiens. Moi j'ai choisi, comme bien d'autres, d'être Québécois[44].

En réfléchissant sur les résultats du référendum de 1995, Parizeau renchérit et conclut que «la majorité des Québécois francophones veulent que le Québec devienne un pays. *Ils ont choisi leur identité et leur pays.* Quant aux Québécois autres que francophones (17 % de la population), presque tous ont voté NON[45].»

Cette «version québécoise de l'identité républicaine française», pour reprendre l'expression de Karmis, où une certaine idée du Québec prédomine, se manifeste dans toutes les sphères de la société québécoise. Les réflexions sur la littérature «nationale» à l'ère du pluralisme sont

---

44. Jacques Parizeau, «Lettre ouverte aux souverainistes», *Le Devoir*, 19 décembre 1996, p. A 7.
45. Jacques Parizeau, *Pour un Québec souverain*, Montréal, VLB, 1997, p. 156 (c'est moi qui souligne). Cité dans Anne Trépanier, *La grammaire générative de l'argumentaire souverainiste en 1995*, mémoire de maîtrise, département de langue et littérature françaises, Université McGill, 1998, p. 63.

fort révélatrices à cet égard[46]. Par exemple, l'écrivain nationaliste décrit par Monique LaRue dans une conférence qui a donné lieu à un orageux débat, tente lui aussi de figer l'identité québécoise dans des catégories infrangibles. S'appuyant sur «l'héroïque antériorité» des auteurs québécois «de souche», l'arpenteur-écrivain s'en prend à cette nouvelle génération d'écrivains immigrants qui fait éclater, tant sur le plan de la thématique qu'au niveau stylistique, les frontières de la littérature québécoise. Ces auteurs, attachés à leurs mémoires et écrivant avec la distance inhérente à la migration, ne poursuivent pas la «recherche d'identité» et ne s'approprient pas le «réseau de références», la «dynamique intertextuelle» et «l'imaginaire» propres, selon lui, à la littérature québécoise[47]. En bref, les écrivains migrants, au dire de l'arpenteur, constituent une menace pour la «singularité» – voire l'authenticité – de la littérature et, *a fortiori*, de l'identité québécoise. Ce jugement n'est d'ailleurs pas la chasse gardée de l'écrivain décrit par LaRue. Julien Harvey, un observateur attentif et généreux de la société québécoise, s'oppose à la proposition de Karmis voulant que toute interprétation de l'identité québécoise à travers sa littérature doive prendre en considération des écrivains comme Neil Bissoondath, Ying Chen, Sergio Kokis, Dany Laferrière et Stanley Péan. Selon Harvey, ces écrivains «sont des citoyens du Québec, mais *littérairement* aucun

---

46. Pour des perspectives éclairantes, voir par exemple Pierre Nepveu, *L'écologie du réel. Mort et naissance de la littérature québécoise contemporaine*, Montréal, Boréal, 1988; et Simon Harel, *Le voleur de parcours. Identité et cosmopolitisme dans la littérature québécoise contemporaine*, Montréal, Le Préambule, 1989.

47. Monique LaRue, *L'arpenteur et le navigateur*, Montréal, Fides, 1996, p. 8.

d'eux n'est québécois[48]». Une fois réifiée, la littérature peut, elle aussi, servir d'étalon pour mesurer le degré d'(in)authenticité des écrivains québécois venus d'ailleurs. Pourtant, comme le souligne Robin, l'écrivain, peu importe son appartenance culturelle, est «un voleur de mythes, de mots, d'images, un passeur de mémoires fictionnalisées[49]».

La société québécoise est donc toujours traversée par un courant «substantialiste» qui embrigade la québécité dans une clôture identitaire hermétique. Contrairement à ce que laissent entendre ses plus fervents critiques, l'interprétation défendue par cette faction du nationalisme québécois n'est pas (ou rarement) fondée sur des critères qui feraient du sang et de la souche la base de l'identité, mais sur une éthique d'authenticité construite socialement et culturellement, et à laquelle la Québécoise et le Québécois de toute origine doit adhérer afin d'éviter la facticité.

Il faut donc faire la critique de ce genre de nationalisme, fomenteur d'exclusion, sans épouser pour autant l'autre pôle idéologique : l'antinationalisme. Comme nous l'avons vu, l'antinationalisme et l'universalisme politique, principalement en période de mondialisation accélérée, fragilisent l'existence des nations minoritaires et, ce faisant, privent le sujet contemporain d'un espace de dévoilement et de prise en considération *(acknowledgment)* mutuels, d'un lieu de reconnaissance hypothétique et d'un horizon de sens souvent fondamentaux. Il faut cesser de voir la nation comme, d'un côté, la seule ou nécessairement la plus importante source d'identification collective et, de l'autre, comme un lieu d'incarcération identitaire. Si l'on doit, à la suite de Renan, voir dans la

---

48. Julien Harvey, «Le Québec, société plurielle en mutation?», *Globe*, volume 1, numéro 1, 1998, p. 43.
49. Régine Robin, «L'impossible Québec pluriel», p. 307.

nation une source d'oublis, d'illusions et de mythes, l'on doit aussi la considérer comme productrice de lucidité et d'originalité. Le potentiel de résistance et de transgression du sujet n'émerge pas d'un vacuum.

Contrairement à Létourneau, je ne crois pas que le concept de « nation québécoise » ait pour unique finalité de refonder la collectivité québécoise par son accès à la souveraineté[50]. Une nation, faut-il le rappeler, est une communauté imaginée. Or, précisément en vertu du processus de « québécisation » de la collectivité québécoise décrit par Létourneau, il se trouve qu'une grande majorité des membres du groupement francophone en sont venus à imaginer et à s'identifier à une identité nationale qui embrasse et se confond avec les frontières territoriales du Québec. Si, comme l'avance Létourneau, on peut certes discerner trois « mondes » au Québec (francophone, anglophone et autochtone)[51] et si plusieurs membres des mondes anglophone et autochtone ne reconnaissent pas faire partie d'une nation *québécoise*, cela ne change rien au fait qu'une identité nationale (territoriale) s'est substituée, dans l'imaginaire d'une vaste majorité de Québécois francophones, à une identité nationale canadienne-française (culturelle et linguistique). L'affirmation de cette nouvelle

---

50. Jocelyn Létourneau, « Penser le Québec (dans le paysage canadien) », *Penser la nation québécoise*, p. 104.
51. *Ibid.*, p. 106. Même si Létourneau ne prétend pas qu'il s'agit là de mondes étanches, il me semble que le processus de transculturalité et d'hybridation entre ces groupements par référence est plus important que ce qu'il laisse entendre. Pensons, par exemple, aux rapports entre les francophones-anglophones et les nombreux autochtones vivant à l'extérieur des réserves, entre les non-Amérindiens qui vivent ou travaillent dans des communautés autochtones, entre les très nombreux francophones et anglophones bilingues, etc.

identité nationale ne nie en rien l'existence des nations autochtones et de la minorité *nationale* anglophone au Québec. La configuration du Québec contemporain appelle une reconceptualisation de la « nation » (puisque c'est ainsi qu'une bonne majorité de Québécois *imaginent* le Québec) qui n'exclut pas la pluralité des appartenances. Lorsqu'il est ainsi représenté, le Québec devient une nation respectueuse des nations minoritaires qui s'animent en son sein et qui contribuent à la recréation perpétuelle de sa spécificité en Amérique du Nord.

Plusieurs s'affairent aujourd'hui à penser le Québec comme une communauté de conversation plurivoque et dissensuelle sans faire pour autant l'apologie des identités postnationales. En faisant la critique des deux interprétations paradigmatiques de l'identité québécoise et en esquissant une narration alternative, j'ai tenté d'écrire un bref paragraphe dans un texte qui s'écrit de façon collective, synchronique et non consensuelle. L'identité québécoise contemporaine est composée d'éléments mémoriels et interculturels, ethniques et civiques, temporels et spatiaux, imaginaires et matériels, locaux et mondiaux et toute tentative d'homogénéisation ou de purification de ladite identité – dans un sens ou dans l'autre – heurte de plein fouet la possibilité pour le Québécois et la Québécoise de décliner son identité au pluriel. Au grand dam de certains théoriciens, bien des Québécois n'ont pas envie de tarir l'une ou l'autre de leurs sources d'identité. Bref, entre le confort d'une authenticité tricotée serrée et l'indifférence à l'égard des valeurs communes qu'une majorité de Québécois ressentent le besoin d'affirmer, une identité québécoise plurielle et labile tente laborieusement de se profiler. C'est pourquoi j'ai renvoyé dos à dos les conceptions des nationalistes mélancoliques et celles des antinationalistes universalistes étudiés dans cet essai.

Donc, même s'il devient de plus en plus difficile d'élaborer des valeurs convergentes sur lesquelles pourrait être fondée la société québécoise de demain, l'une d'entre elles pourrait être la reconnaissance que la québécité est une création qui s'exprime de façon polymorphe. Concrètement, cette reconnaissance signifie que les nationalistes mélancoliques, sans se délier nécessairement de leur interprétation du passé québécois, acceptent que d'autres Québécois authentiques ne se reconnaissent pas dans cette trame historique unitaire et téléologique. Cette reconnaissance implique également que l'on ne demande pas à la partie de la population qui s'identifie à une langue, à une mise en récit du passé et à une projection dans l'avenir sensiblement communes de renoncer à leur narration identitaire. Cela signifie finalement que les Québécois acceptent que les peuples autochtones vivant sur le territoire du Québec se pensent comme des communautés autonomes, considèrent leur attachement au Québec comme second – voire même instrumental – et insistent pour que toute négociation politique bilatérale soit fondée sur une relation de nation à nation[52].

Or ces différentes *authenticités québécoises* que j'ai essayé de mettre en récit s'entrechoquent, se tolèrent et s'entrelacent déjà dans l'agora québécoise. Il s'agit maintenant que les narrateurs et les législateurs du Québec prennent acte de cette effervescence. Comme j'ai tenté de le démontrer, certains des principaux paroliers de la condition québécoise ont du mal à composer avec le pluralisme identitaire. Dans la même veine, le politique, tant

---

52. Voir Jocelyn Maclure, «Vers une société post-impériale», *Le Devoir*, 11 juillet 2000, p. A 7; et le Groupe de réflexion sur les institutions et la citoyenneté, «D'égal à égal», *Le Devoir*, 28 mars 1994, p. A 7.

au Québec qu'au Canada, n'a pas encore relevé le défi de l'indétermination identitaire contemporaine. Ni le Canada de 1982, qui refuse obstinément de se penser comme une fédération multinationale, ni le projet souverainiste traditionnel, qui n'a pas encore démontré qu'il pouvait intégrer l'hétérogène[53], n'ont jusqu'ici pris au sérieux la complexité de l'identitaire québécois. Bref, les narrateurs et les législateurs n'ont pas encore fait preuve de la modestie et du labeur qui sont de mise lorsqu'il s'agit de traiter avec les pérégrinations contemporaines de l'identité. On peut penser que tel sera le défi des générations montantes. Toutefois, les générations, comme les cultures, sont rarement consensuelles. Ce défi, donc, peut être relevé, non pas par une génération qui parlerait à l'unisson, mais plutôt par les protagonistes d'un dialogue critique entre les générations et les perspectives.

Certains allégueront que ce vœu dissimule une large part d'utopisme et d'angélisme puisqu'il n'existe pas suffisamment de terrain d'entente entre les interprètes du Québec pour les voir se regrouper dans un tel espace communicationnel – et donc se reconnaître une certaine légitimité de parler *du* et *pour* le Québec. Mais qu'en est-il vraiment? Est-il si difficile de reconnaître que les néo-nationalistes, de par leur incessant travail interprétatif, ont largement contribué à donner au Québec une conscience de soi à partir de laquelle il est aujourd'hui possible d'imaginer le Québec différemment? Que les antinationalistes

---

53. Voir Daniel Salée, «La mondialisation et la construction de l'identité au Québec», *Les frontières de l'identité*, p. 110-123; et «Quebec Sovereignty and the Challenge of Linguistic and Ethnocultural Minorities: Identity, Difference and the Politics of *Ressentiment*», *Quebec Studies*, volume 24, automne 1997, p. 6-23.

ont, dès le départ, altéré la puissance de l'interpellation nationaliste et aidé à montrer du doigt (donc à combattre) les exclusions inhérentes à une certaine façon de voir et de dire le Québec? Que des gens comme Laurendeau et ses héritiers ont défriché un espace où il est maintenant permis de penser la collectivité québécoise à l'extérieur de l'opposition récessive entre nationalistes et antinationalistes? Que les leaders autochtones et les écrivains migrants nous fournissent les éléments nécessaires à l'élaboration d'un langage réellement post-impérial? Que ceux qui conceptualisent et décrivent une référence québécoise plurielle et métissée créent un récit identitaire qui semblent épouser assez bien les visages changeants du Québec contemporain?

Il ne s'agit pas pour le Québec d'établir une identité consensuelle et définitive qui pourrait et devrait être reconnue par le Canada, les Premières Nations et le reste du monde. La réduction de la plurivocité à l'univocité ne pourrait se faire qu'au prix de la marginalisation et de l'exclusion des voix dissidentes. Plutôt que de s'attarder à l'élaboration d'une forme de reconnaissance ou d'un cadre constitutionnel définitifs, nos efforts auraient peut-être avantage à être consacrés à la solidification d'un *ethos* démocratique et dialogique capable d'infléchir la façon dont sont abordés et négociés les inévitables désaccords au sujet des représentations identitaires et des orientations publiques et politiques. Il n'est pas question de se fermer les yeux devant l'autre moment du politique : le moment de la décision et de l'institutionnalisation (le premier étant celui de la délibération). Il s'agit là du moment – tragique mais incontournable – où sont commises les injustices et où sont brimées les libertés. Tôt ou tard, et dans des circonstances toujours imparfaites, une décision doit être prise. Parmi ceux et celles qui ont pris part à la délibération, certains affirmeront avoir été bafoués dans leurs droits. Et peut-être le temps donnera-t-il raison aux voix dissidentes. Le *telos* de l'activité démocratique doit être de s'assurer que cette dernière est pratiquée avec le «minimum possible de domination[54]». Une société sera vraiment libre si les conditions sont réunies pour que ces opposants soient à nouveau capables de rapatrier l'enjeu qui pose problème à la première étape du processus politique (la délibération) et d'éviter ainsi sa coagulation dans le dispositif techno-bureaucratique qui tend de plus en plus, au Québec comme ailleurs, à se substituer à l'agora.

Cette attitude démocratique et dialogique n'est pas absente au Québec. Il reste maintenant à pratiquer, à thématiser et, ce faisant, à consolider davantage cette démocratie québécoise.

---

54. Michel Foucault, «L'éthique du souci de soi comme pratique de la liberté», *Dits et écrits*, vol. IV, p. 727.

INDEX

DES NOMS CITÉS

AGMV Marquis

MEMBRE DU GROUPE SCABRINI

Québec, Canada
2000